자르는 선

쓰면서 강해지는 초등 영문법 2

종합 테스트

날짜 | 이름 | 맞힌 개수 / 20개

1 다음 기수와 서수가 잘못 짝지어진 것을 고르세요.

① one — first
② nine — ninth
③ two — second
④ fifteen — fifteenth
⑤ twelve — twelveth

2 다음 동사의 3인칭 단수형이 잘못 짝지어진 것을 고르세요.

① eat — eats
② cry — cries
③ have — has
④ enjoy — enjoies
⑤ watch — watches

3 다음 동사와 현재진행형이 잘못 짝지어진 것을 고르세요.

① say — saying
② tie — tying
③ take — takeing
④ fix — fixing
⑤ stop — stopping

[6~7] 다음 빈칸에 공통으로 들어갈 말로 알맞은 것을 고르세요.

6

- Does Jina have ________ friends?
- I don't drink ________ water at night.

① many
② much
③ a few
④ a little
⑤ a lot of

7

- They remember ________ stories.
- Would you like ________ bread?

① any
② much
③ some
④ many
⑤ every

11 다음 중 잘못된 문장을 고르세요.

① I don't need many pens.
② Are you waiting for the bus?
③ We are not lying on the sofa.
④ Angie doesn't write a letter.
⑤ Do they swimming in the pool?

12 다음 빈칸에 many가 들어갈 수 없는 것을 고르세요.

① You know ________ countries.
② We don't take ________ pictures.
③ Norah asks ________ questions.
④ Joel doesn't have ________ butter.
⑤ My father and I catch ________ fish.

13 다음 빈칸에 들어갈 말이 나머지와 다른 것을 고르세요.

① ________ the bus stop here?
② ________ she like spicy food?
③ ________ your sister have short hair?

서 술 형

16 다음 밑줄 친 부분을 주어진 단어로 바꾸어 문장을 다시 쓰세요.

You don't have many shirts. (Steven)

➡ ________________

17 다음 문장을 현재진행형으로 바꿔 쓰세요.

Mina rides a bicycle in the park.

➡ ________________

[18~19] 다음 밑줄 친 부분을 바르게 고쳐 문장을 다시 쓰세요.

18

The students study hardly.

④ ________ Andy go to school by bus?

⑤ ________ you drink milk every morning?

[14~15] 다음 빈칸에 들어갈 말이 바르게 짝지어진 것을 고르세요.

14

- This puzzle is ________.
- He solves the problem ________.

① easy — easy ② easy — easily
③ easy — easyly ④ easily — easy
⑤ easily — easily

15

- ________ people are dancing on the stage.
- We have ________ money in the bank.

① A few — few ② Little — few
③ A little — a few ④ Little — a little
⑤ A few — little

➡ ________________

19

They read <u>any</u> comic books.

➡ ________________

20

다음 우리말과 뜻이 같도록 주어진 단어를 사용하여 문장을 완성하세요. (필요하면 단어의 형태를 바꾸세요.)

- Sally는 항상 방과 후에 농구를 한다.
  (play / basketball / after school)

➡ ________________

정답은 뒷장의 학습계획표 아래쪽에 있어요.

4 **다음 빈칸에 들어갈 말로 알맞은 것을 고르세요.**

_______ reads books in the morning.

① We ② Henry
③ They ④ My parents
⑤ Matt and Rachel

5 **다음 질문과 대답이 어색한 것을 고르세요.**

① **A**: Do tigers run fast?
B: Yes, it does.
② **A**: Do you go to bed early?
B: No, I don't.
③ **A**: Do they use computers?
B: Yes, they do.
④ **A**: Does she speak Chinese?
B: No, she doesn't.
⑤ **A**: Does your son play the violin?
B: Yes, he does.

[8~9] 다음 밑줄 친 부분이 잘못 쓰인 것을 고르세요.

8
① I'm in the six grade.
② They have five dogs.
③ Today is my tenth birthday.
④ Jimmy has three brothers.
⑤ Your room is on the third floor.

9
① Every flower has a name.
② I know all the players on the team.
③ All students like the teacher.
④ We clean every rooms in the hotel.
⑤ They watch the news every night.

10 **다음 밑줄 친 빈도부사의 위치가 잘못된 것을 고르세요.**

① I will always get up early.
② Emily sometimes wears sunglasses.
③ James never drinks coffee at night.
④ She usually goes to school by bicycle.
⑤ Ryan and Clara often are late for school.

Study Plan! 2달 만에 한 권 완성하기 ②

★ 하루에 45분씩, 주 5일 학습 기준입니다. 계획표에 적힌 날짜별 학습 목표에 맞춰 공부해 보세요.

Week 1	Day 1	Day 2	Day 3	Day 4	Day 5
Unit 1	Lesson 1 개념 확인 Step 1	Step 2 Step 3 Step 4	Lesson 2 개념 확인 Step 1	Step 2 Step 3 Step 4	실전 테스트 Workbook
Week 2	**Day 1**	**Day 2**	**Day 3**	**Day 4**	**Day 5**
Unit 2	Lesson 1 개념 확인 Step 1	Step 2 Step 3 Step 4	Lesson 2 개념 확인 Step 1	Step 2 Step 3 Step 4	실전 테스트 Workbook
Week 3	**Day 1**	**Day 2**	**Day 3**	**Day 4**	**Day 5**
Unit 3	Lesson 1 개념 확인 Step 1	Step 2 Step 3 Step 4	Lesson 2 개념 확인 Step 1	Step 2 Step 3 Step 4	실전 테스트 Workbook
Week 4	**Day 1**	**Day 2**	**Day 3**	**Day 4**	**Day 5**
Unit 4	Lesson 1 개념 확인 Step 1	Step 2 Step 3 Step 4	Lesson 2 개념 확인 Step 1	Step 2 Step 3 Step 4	실전 테스트 Workbook

Week 1	Day 1	Day 2	Day 3	Day 4	Day 5
Unit 5	Lesson 1 개념 확인 Step 1	Step 2 Step 3 Step 4	Lesson 2 개념 확인 Step 1	Step 2 Step 3 Step 4	실전 테스트 Workbook
Week 2	**Day 1**	**Day 2**	**Day 3**	**Day 4**	**Day 5**
Unit 6	Lesson 1 개념 확인 Step 1	Step 2 Step 3 Step 4	Lesson 2 개념 확인 Step 1	Step 2 Step 3 Step 4	실전 테스트 Workbook
Week 3	**Day 1**	**Day 2**	**Day 3**	**Day 4**	**Day 5**
Unit 7	Lesson 1 개념 확인 Step 1	Step 2 Step 3 Step 4	Lesson 2 개념 확인 Step 1	Step 2 Step 3 Step 4	실전 테스트 Workbook
Week 4	**Day 1**	**Day 2**	**Day 3**	**Day 4**	**Day 5**
Unit 8	Lesson 1 개념 확인 Step 1	Step 2 Step 3 Step 4	Lesson 2 개념 확인 Step 1	Step 2 Step 3 Step 4	실전 테스트 Workbook

종합 테스트 정답

1 ⑤ **2** ④ **3** ③ **4** ② **5** ① **6** ⑤ **7** ③ **8** ① **9** ④ **10** ⑤ **11** ⑤ **12** ④ **13** ⑤ **14** ② **15** ⑤ **16** Steven doesn't have many shirts. **17** Mina is riding a bicycle in the park. **18** The students study hard. **19** They read some comic books. **20** Sally always plays basketball after school.

Study Check! 나의 학습 기록하기

★ 공부한 날짜를 적고 학습을 마친 후에 스티커를 붙여 주세요. 복습을 했을 때는 한 번 더 붙이세요.

Week 1	Day 1 (월 일)	Day 2 (월 일)	Day 3 (월 일)	Day 4 (월 일)	Day 5 (월 일)
Unit 1	만점이다				
Week 2	Day 1 (월 일)	Day 2 (월 일)	Day 3 (월 일)	Day 4 (월 일)	Day 5 (월 일)
Unit 2					
Week 3	Day 1 (월 일)	Day 2 (월 일)	Day 3 (월 일)	Day 4 (월 일)	Day 5 (월 일)
Unit 3					
Week 4	Day 1 (월 일)	Day 2 (월 일)	Day 3 (월 일)	Day 4 (월 일)	Day 5 (월 일)
Unit 4					

Week 1	Day 1 (월 일)	Day 2 (월 일)	Day 3 (월 일)	Day 4 (월 일)	Day 5 (월 일)
Unit 5					
Week 2	Day 1 (월 일)	Day 2 (월 일)	Day 3 (월 일)	Day 4 (월 일)	Day 5 (월 일)
Unit 6					
Week 3	Day 1 (월 일)	Day 2 (월 일)	Day 3 (월 일)	Day 4 (월 일)	Day 5 (월 일)
Unit 7					
Week 4	Day 1 (월 일)	Day 2 (월 일)	Day 3 (월 일)	Day 4 (월 일)	Day 5 (월 일)
Unit 8					

학습을 마친 후 스티커를 붙여 주세요.

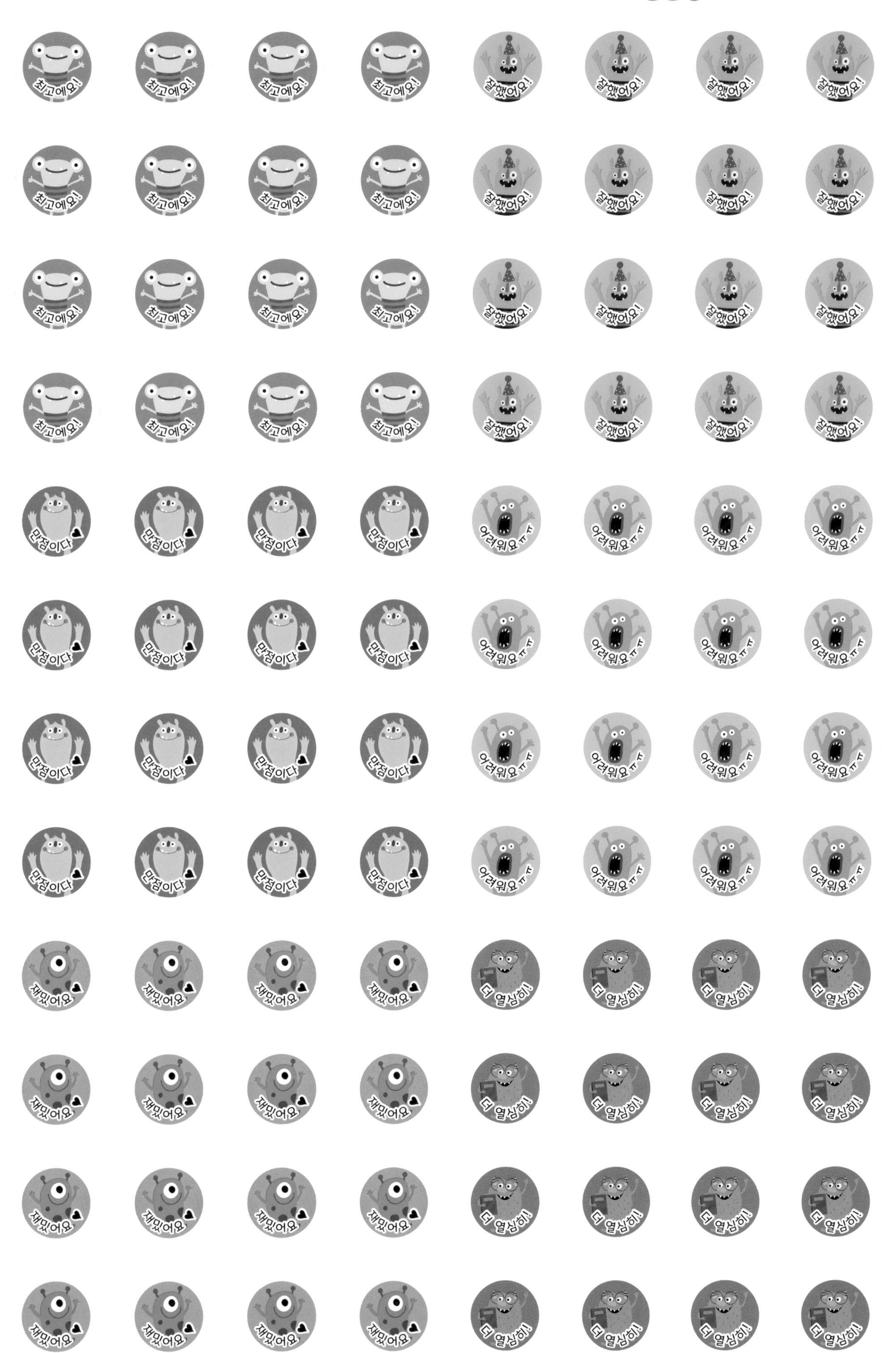

쓰면서 강해지는

초등 영문법 2

Structures 구성과 특징

1 개념 설명 & 개념 확인

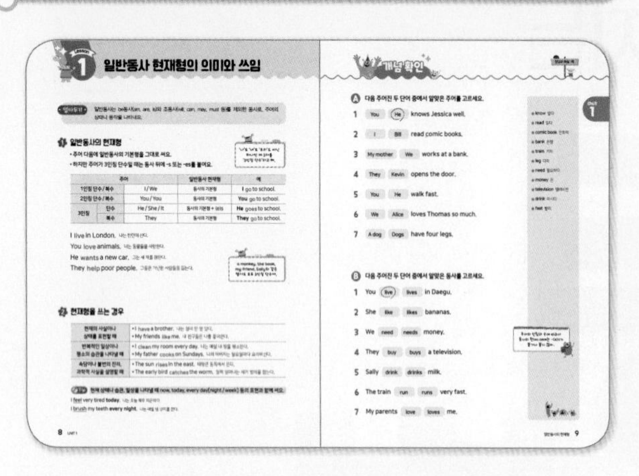

★초등 필수 문법 개념을 이해하기 쉽도록 친절하고 자세하게 설명하였습니다. 다양한 예문을 통해 문법이 어떻게 적용되는지를 알 수 있습니다.

★본격적인 문제 풀이를 하기 전에 기초적인 선택형 문제를 풀면서 문법의 기본 개념을 잘 이해했는지 확인합니다.

2 STEP 1 & STEP 2

★우리말 뜻을 보고 빈칸에 알맞은 말을 쓰는 문제입니다. 문법 개념을 문장에 적용하는 훈련을 통해 문법 규칙을 익힐 수 있습니다.

★틀린 부분을 바르게 고쳐 쓰는 문제입니다. 문법의 쓰임의 맞는지 틀린지를 판단하면서 아직 이해하지 못한 부분이 없는지 점검합니다.

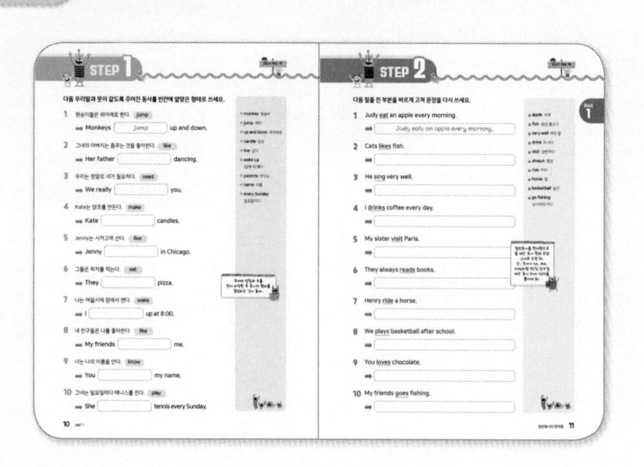

3 STEP 3 & STEP 4

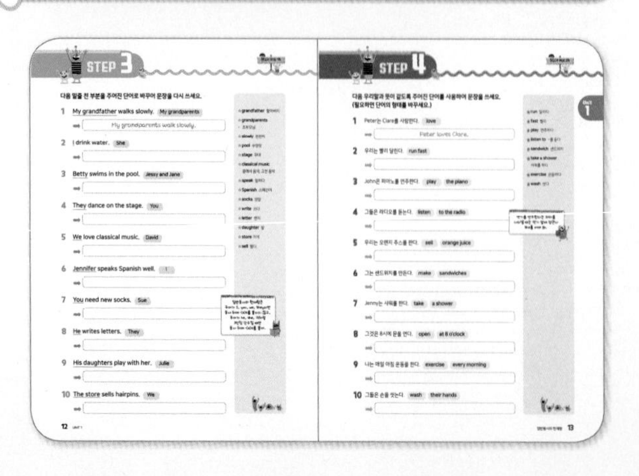

★주어진 단어를 배열하여 문장을 완성하거나 지시에 따라 문장을 바꿔 쓰는 문제입니다. 문장 전체를 쓰는 연습을 통해 영어 문장 구조를 자연스럽게 학습할 수 있습니다.

★제시된 단어와 우리말 뜻을 보고 문장을 쓰는 문제입니다. 문장 구성 및 영작 능력을 키울 수 있습니다.

4 실전 테스트

★ 해당 UNIT에서 학습한 내용을 종합적으로 확인하는 단계로, 다양한 유형의 문제들을 풀면서 실전 감각을 키울 수 있습니다.

★ 테스트 마지막에 제시되는 서술형 문제를 통해 문법 응용 능력을 높이고 중학 내신으로 이어지는 서술형 학습에 대비할 수 있습니다.

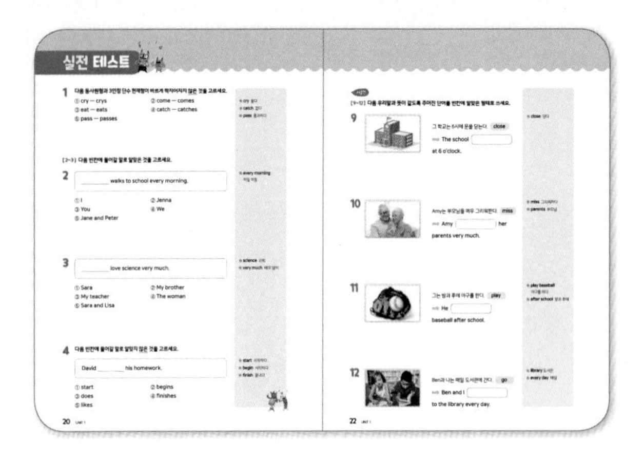

5 워크북 - 단어

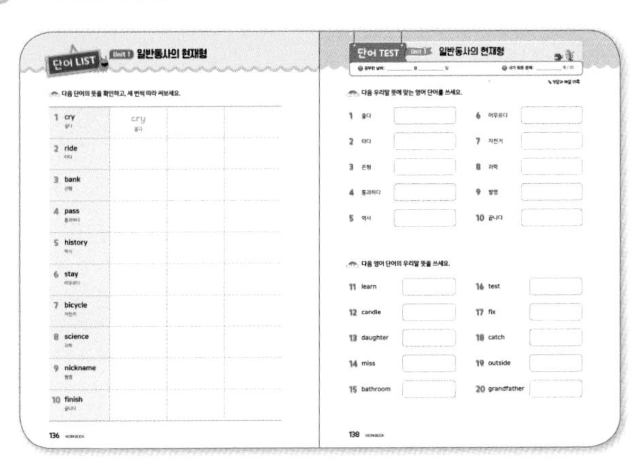

★ UNIT별 단어 리스트를 보면서 중요한 단어들을 한 번 더 확인하고, 따라 쓰는 연습을 하며 단어의 철자와 뜻을 자연스럽게 외우게 됩니다.

★ 단어의 스펠링 쓰기와 우리말 뜻 쓰기 테스트를 통해 모르는 단어가 없는지 점검하고 어휘 학습을 마무리 합니다.

6 워크북 - 해석 & 영작

★ UNIT별 핵심 문장들을 우리말로 해석하는 문제입니다. 문법의 쓰임과 단어의 의미를 바르게 이해하였는지 확인할 수 있습니다.

★ 문법 개념을 적용하여 영작하는 단계입니다. 통문장 쓰기 연습을 통해 영작 실력을 높이고 문장 구조를 자연스럽게 이해할 수 있습니다.

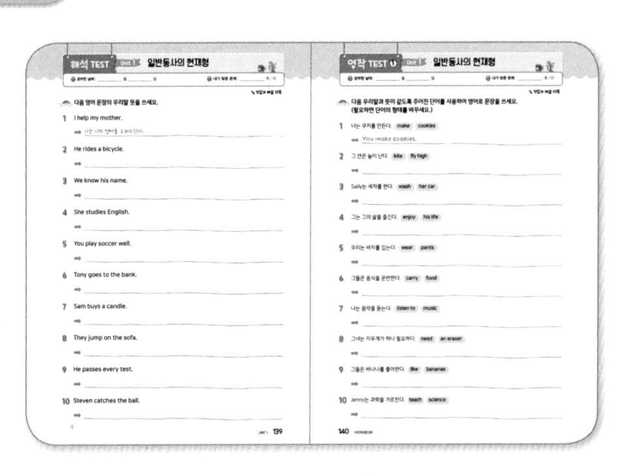

Contents 차례

Curriculum 시리즈 구성

<쓰면서 강해지는 초등 영문법> 시리즈는 학습 단계에 따라 총 4권으로 구성되어 있습니다. 한 권당 8개의 UNIT이 있으며, 각 UNIT이 끝난 후 학습한 내용을 확인할 수 있는 실전 테스트가 수록되어 있습니다. 일주일에 1개의 UNIT씩 학습하여 2달 동안 한 권, 8달 동안 4권 전체를 학습할 수 있습니다.

Preview 알아두기

>>> **현재형이란?** 현재의 상태, 반복적인 일, 습관, 과학적 사실이나 불변의 진리를 나타내요.

>>> **현재진행형이란?** '~하고 있다'라는 뜻으로 현재 하고 있는 동작이나 행동을 나타내요.

★ 일반동사의 3인칭 단수 현재형

명사	규칙	예	
대부분의 일반동사	동사원형 + s	eat → eats like → likes come → comes	run → runs read → reads clean → cleans
-o, -x, -s, -ch, -sh로 끝나는 동사	동사원형 + es	go → goes kiss → kisses wash → washes	fix → fixes watch → watches
「자음 + y」로 끝나는 동사	y → ies	cry → cries try → tries	fly → flies study → studies
「모음 + y」로 끝나는 동사	동사원형 + s	say → says play → plays	buy → buys enjoy → enjoys
기타	불규칙 변화	have → has	

★ 현재진행형 : 동사의 -ing 형태

동사	규칙	예	
대부분의 동사	동사원형 + ing	sleep → sleeping enjoy → enjoying read → reading	go → going say → saying sing → singing
-e로 끝나는 동사	e를 빼고 + ing	take → taking live → living write → writing	have → having ride → riding come → coming
-ie로 끝나는 동사	ie를 y로 바꾸고 + ing	tie → tying die → dying	lie → lying
「단모음 + 단자음」으로 끝나는 동사	자음을 한 번 더 쓰고 + ing	stop → stopping cut → cutting swim → swimming	run → running get → getting sit → sitting

일반동사의 현재형

Lesson 1 일반동사 현재형의 의미와 쓰임

Lesson 2 일반동사의 3인칭 단수 현재형

일반동사는 '~하다'라는 의미를 가진 동사를 뜻해요. clean(청소하다), drink(마시다), go(가다) 처럼 동작을 나타내기도 하고, have(가지고 있다), like(좋아하다)처럼 상태를 나타내기도 해요.

일반동사 현재형의 의미와 쓰임

• 알아두기 • 일반동사는 be동사(am, are, is)와 조동사(will, can, may, must 등)를 제외한 동사로, 주어의 상태나 동작을 나타내요.

1 일반동사의 현재형

- 주어 다음에 일반동사의 기본형을 그대로 써요.
- 하지만 주어가 3인칭 단수일 때는 동사 뒤에 -s 또는 -es를 붙여요.

주어			일반동사 현재형	예
1인칭 단수/복수		I/We	동사의 기본형	I **go** to school.
2인칭 단수/복수		You/You	동사의 기본형	You **go** to school.
3인칭	단수	He/She/It	동사의 기본형+(e)s	He **goes** to school.
	복수	They	동사의 기본형	They **go** to school.

I **live** in London. 나는 런던에 산다.

You **love** animals. 너는 동물들을 사랑한다.

He **wants** a new car. 그는 새 차를 원한다.

They **help** poor people. 그들은 가난한 사람들을 돕는다.

2 현재형을 쓰는 경우

현재의 사실이나 상태를 표현할 때	• I **have** a brother. 나는 형이 한 명 있다. • My friends **like** me. 내 친구들은 나를 좋아한다.
반복적인 일상이나 평소의 습관을 나타낼 때	• I **clean** my room every day. 나는 매일 내 방을 청소한다. • My father **cooks** on Sundays. 나의 아버지는 일요일마다 요리하신다.
속담이나 불변의 진리, 과학적 사실을 설명할 때	• The sun **rises** in the east. 태양은 동쪽에서 뜬다. • The early bird **catches** the worm. 일찍 일어나는 새가 벌레를 잡는다.

Tip 현재 상태나 습관, 일상을 나타낼 때 now, today, every day[night/week] 등의 표현과 함께 써요.

I feel very tired **today**. 나는 오늘 매우 피곤하다.

I brush my teeth **every night**. 나는 매일 밤 양치를 한다.

정답과 해설 1쪽

A 다음 주어진 두 단어 중에서 알맞은 주어를 고르세요.

1 You / He knows Jessica well.

2 I / Bill read comic books.

3 My mother / We works at a bank.

4 They / Kevin opens the door.

5 You / He walk slowly.

6 We / Alice loves Thomas so much.

7 A dog / Dogs have four legs.

B 다음 주어진 두 단어 중에서 알맞은 동사를 고르세요.

1 You live / lives in Daegu.

2 She like / likes bananas.

3 We need / needs money.

4 They buy / buys a television.

5 Sally drink / drinks milk.

6 The train run / runs very fast.

7 My parents love / loves me.

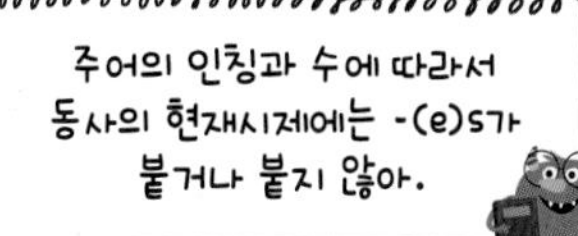

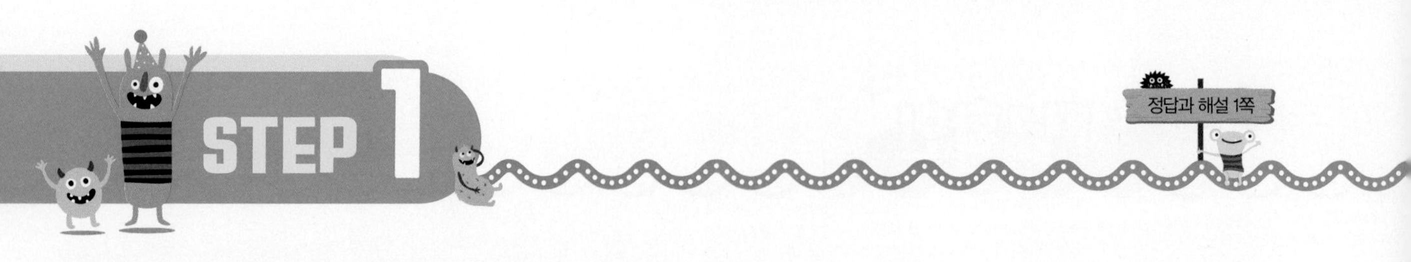

다음 우리말과 뜻이 같도록 주어진 동사를 빈칸에 알맞은 형태로 쓰세요.

1 원숭이들은 위아래로 뛴다. jump

➡ Monkeys [jump] up and down.

2 그녀의 아버지는 가난한 사람들을 돕는다. help

➡ Her father [ ] poor people.

3 우리는 정말 네가 필요하다. need

➡ We really [ ] you.

4 Kate는 양초를 만든다. make

➡ Kate [ ] candles.

5 Jenny는 시카고에 산다. live

➡ Jenny [ ] in Chicago.

6 그들은 피자를 먹는다. eat

➡ They [ ] pizza.

7 나는 여덟시에 잠에서 깬다. wake

➡ I [ ] up at 8:00.

8 내 친구들은 나를 좋아한다. like

➡ My friends [ ] me.

9 너는 나의 이름을 안다. know

➡ You [ ] my name.

10 그녀는 일요일마다 테니스를 친다. play

➡ She [ ] tennis every Sunday.

★ monkey 원숭이
★ jump 뛰다
★ up and down 위아래로
★ poor 가난한
★ people 사람들
★ candle 양초
★ live 살다
★ wake up (잠에서) 깨다
★ parents 부모님
★ name 이름
★ every Sunday 일요일마다

주어의 인칭과 수를 먼저 파악한 후 동사의 형태를 결정하면 돼.

다음 밑줄 친 부분을 바르게 고쳐 문장을 다시 쓰세요.

1 Judy eat an apple every morning.

➡ Judy eats an apple every morning.

2 Cats likes fish.

➡

3 He sing very well.

➡

4 I drinks coffee every day.

➡

5 My sister visit Paris.

➡

6 They always reads books.

➡

7 Henry ride a horse.

➡

8 We plays basketball after school.

➡

9 You loves chocolate.

➡

10 My friends goes fishing.

➡

★ apple 사과
★ fish 생선, 물고기
★ very well 매우 잘
★ drink 마시다
★ visit 방문하다
★ always 항상
★ ride 타다
★ horse 말
★ basketball 농구
★ go fishing 낚시하러 가다

일반동사를 현재형으로 쓸 때는 동사 원래 모양 그대로 쓰면 돼. 단, 주어가 he, she, Judy처럼 3인칭 단수일 때는 동사 뒤에 -(e)s를 붙여야 해.

다음 밑줄 친 부분을 주어진 단어로 바꾸어 문장을 다시 쓰세요.

1 My grandfather walks slowly. My grandparents

➡ My grandparents walk slowly.

2 I cook dinner. She

➡

3 Betty swims in the pool. Jessy and Jane

➡

4 They dance on the stage. You

➡

5 We love classical music. David

➡

6 Jennifer speaks Spanish well. I

➡

7 You need new socks. Sue

➡

8 He writes letters. They

➡

9 His daughters play with her. Julie

➡

10 The store sells hairpins. We

➡

★ grandfather 할아버지
★ slowly 천천히
★ grandparents 조부모님
★ dinner 저녁 식사
★ pool 수영장
★ stage 무대
★ classical music 클래식 음악, 고전 음악
★ speak 말하다
★ Spanish 스페인어
★ socks 양말
★ write 쓰다
★ letter 편지
★ daughter 딸
★ store 가게
★ sell 팔다

일반동사의 현재형은
주어가 I, you, we, they이면
동사 뒤에 -(e)s를 붙이지 않고,
주어가 he, she, it처럼
3인칭 단수일 때만
동사 뒤에 -(e)s를 붙여.

다음 우리말과 뜻이 같도록 주어진 단어를 사용하여 문장을 쓰세요. (필요하면 단어의 형태를 바꾸세요.)

1 Peter는 Clare를 사랑한다. love

➡ Peter loves Clare.

2 우리는 빨리 달린다. run fast

➡

3 John은 피아노를 연주한다. play / the piano

➡

4 그들은 라디오를 듣는다. listen / to the radio

➡

5 우리는 오렌지 주스를 판다. sell / orange juice

➡

6 그는 샌드위치를 만든다. make / sandwiches

➡

7 Jenny는 잡지를 읽는다. read / a magazine

➡

8 그것은 8시에 문을 연다. open / at 8 o'clock

➡

9 나는 매일 아침 운동을 한다. exercise / every morning

➡

10 그들은 손을 씻는다. wash / their hands

➡

★ run 달리다
★ fast 빨리
★ play 연주하다
★ listen to ~를 듣다
★ sandwich 샌드위치
★ magazine 잡지
★ exercise 운동하다
★ wash 씻다

악기를 연주한다는 의미를 나타낼 때는 악기 앞에 정관사 the를 써야 해.

일반동사의 3인칭 단수 현재형

1 주어가 3인칭 단수일 경우

- 1인칭, 2인칭, 복수를 제외한 나머지 명사와 대명사를 가리켜 '3인칭 단수'라고 해요.
- 현재형이면서 주어가 3인칭 단수(he, she, it)일 때는 동사에 -s나 -es를 붙여요.

She works at a bank. 그녀는 은행에서 일한다.

My sister cries loudly. 내 여동생은 큰 소리로 운다.

He plays tennis every weekend. 그는 주말마다 테니스를 친다.

Tom and Jane get up early. Tom과 Jane은 일찍 일어난다.

My father and I drink coffee. 나의 아버지와 나는 커피를 마신다.

2 3인칭 단수 현재형 동사의 규칙

동사의 형태에 따라 일반동사의 3인칭 단수형이 다르게 변화해요.

대부분의 일반동사	동사원형 + s	like → likes clean → cleans	eat → eats read → reads
o, x, s, ch, sh로 끝나는 동사	동사원형 + es	go → goes kiss → kisses wash → washes	fix → fixes watch → watches
「자음 + y」로 끝나는 동사	y → ies	study → studies	cry → cries
「모음 + y」로 끝나는 동사	동사원형 + s	play → plays enjoy → enjoys	say → says buy → buys
기타	불규칙 변화	have → has	

He eats breakfast at 8:30. 그는 8시 30분에 아침을 먹는다.

She watches TV every night. 그녀는 매일 밤 TV를 본다.

Jim studies English hard. Jim은 영어를 열심히 공부한다.

My mom always **says** OK. 나의 엄마는 항상 괜찮다고 말씀하신다.

Olivia has a dog. Olivia는 개 한 마리를 가지고 있다.

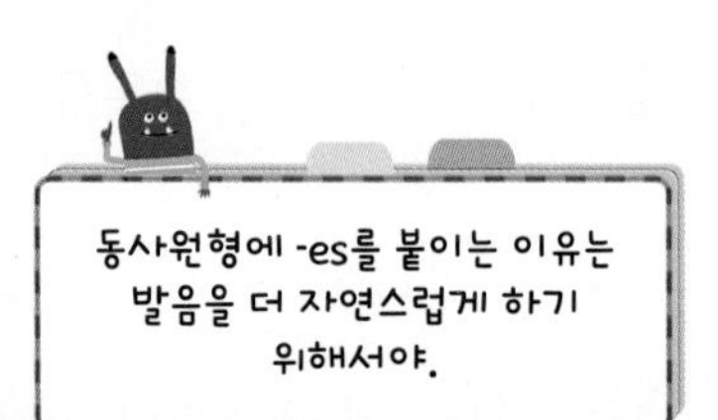

정답과 해설 2쪽

Unit 1

A 다음 동사의 3인칭 단수 현재형을 쓰세요.

동사	3인칭 단수 현재형	동사	3인칭 단수 현재형
cry	cries	go	
wash		kiss	
like		play	
have		study	
say		fix	
enjoy		teach	

★ cry 울다
★ wash 씻다
★ enjoy 즐기다
★ fix 고치다
★ teach 가르치다
★ spaghetti 스파게티
★ dance 춤추다
★ nickname 별명
★ rose 장미
★ smell ~한 냄새가 나다
★ homework 숙제
★ history 역사
★ look ~해 보이다

B 다음 주어진 말 중에서 알맞은 동사를 고르세요.

1 My mom like likes spaghetti.

2 Leo dance dances well.

3 My dog has have a nickname.

4 These roses smell smells good.

5 Andy do does his homework.

6 They study studies history.

7 That house look looks big.

주어가 3인칭 단수일 경우에만 동사의 현재형에 -(e)s를 붙여. 동사 변화 규칙을 잘 알아두고 불규칙 동사는 무조건 외워두어야 해.

다음 우리말과 뜻이 같도록 주어진 동사를 빈칸에 알맞은 형태로 쓰세요.

1 나의 아버지는 화장실을 청소한다. clean

➡ My father [cleans] the bathroom.

2 Chris는 그의 아들에게 뽀뽀한다. kiss

➡ Chris [ ] his son.

3 Judy는 과학을 공부한다. study

➡ Judy [ ] science.

4 그녀는 음악을 많이 즐긴다. enjoy

➡ She [ ] music a lot.

5 나의 누나는 TV를 본다. watch

➡ My sister [ ] TV.

6 Brian은 영화를 좋아한다. like

➡ Brian [ ] movies.

7 그 아기는 매일 밤 운다. cry

➡ The baby [ ] every night.

8 James는 진실을 말한다. say

➡ James [ ] the truth.

9 그녀는 집에 늦게 온다. come

➡ She [ ] home late.

10 Suzy는 아름다운 미소를 가지고 있다. have

➡ Suzy [ ] a beautiful smile.

★ clean 청소하다
★ bathroom 화장실
★ kiss 뽀뽀하다, 입 맞추다
★ son 아들
★ study 공부하다
★ science 과학
★ enjoy 즐기다
★ music 음악
★ watch 보다
★ movie 영화
★ truth 진실, 사실
★ late 늦게
★ beautiful 아름다운
★ smile 미소

say, enjoy, play처럼 -y 앞이 모음이면 동사 뒤에 -s만 붙여.

정답과 해설 2쪽

Unit 1

다음 밑줄 친 부분을 바르게 고쳐 문장을 다시 쓰세요.

1 James go to school at 8:30.

➡ James goes to school at 8:30.

2 Her cat stayes inside.

➡

3 My grandmother love me.

➡

4 Kevin haves a bicycle.

➡

5 My mother plaies the guitar.

➡

6 Tim knowes Jessica.

➡

7 He washs the dishes every day.

➡

8 The kite flyes high.

➡

9 Lisa miss her family.

➡

10 The library close at 6 o'clock.

➡

★ school 학교
★ stay 머무르다
★ inside 안에
★ grandmother 할머니
★ know 알다
★ wash the dishes 설거지를 하다
★ every day 매일
★ kite 연
★ high 높이
★ miss 그리워하다
★ library 도서관

주어가 3인칭 단수일 때는
동사 뒤에 -s나 -es를 붙여야 해.
「자음 + y」는 -ies로 바꾸고
「모음 + y」는 -s만
붙인다는 걸 기억해.

다음 밑줄 친 부분을 주어진 단어로 바꾸어 문장을 다시 쓰세요.

1 My friends study hard. [My friend]

➡ My friend studies hard.

2 The puppies sleep well. [The puppy]

➡

3 You pass every test. [She]

➡

4 We catch the mouse. [The cat]

➡

5 I have two hamsters. [Tony]

➡

6 Tom and Jane live in Spain. [He]

➡

7 You buy peaches here. [She]

➡

8 They watch movies every day. [Alice]

➡

9 Joseph and David go to bed early. [Chris]

➡

10 They read books in the morning. [Ms. Han]

➡

- ★ friend 친구
- ★ hard 열심히
- ★ puppy 강아지
- ★ sleep 자다
- ★ pass 통과하다
- ★ test 시험
- ★ catch 잡다
- ★ hamster 햄스터
- ★ live 살다
- ★ Spain 스페인
- ★ peach 복숭아
- ★ movie 영화
- ★ go to bed 자다
- ★ early 일찍
- ★ in the morning 아침에

1인칭, 2인칭, 복수인 주어를 3인칭 단수로 바꿀 경우에는 동사의 형태에 따라 -s, -es, -ies를 붙여야 해.

Unit 1

다음 우리말과 뜻이 같도록 주어진 단어를 사용하여 문장을 쓰세요. (필요하면 단어의 형태를 바꾸세요.)

1 나의 삼촌은 요리를 잘한다. uncle cook well

➡ My uncle cooks well.

2 Janet은 머리를 감는다. wash her hair

➡

3 Henry는 초록색 양말을 신는다. wear green socks

➡

4 그는 도서관에서 공부한다. study in the library

➡

5 Jade는 목걸이를 산다. buy a necklace

➡

6 그녀는 자동차를 운전한다. drive a car

➡

7 Mark는 3명의 딸이 있다. have three daughters

➡

have의 3인칭 단수형은 불규칙적으로 변화해.

8 내 친구는 농구를 한다. play basketball

➡

9 Rachel은 그 파티에 간다. go to the party

➡

10 그것은 11시 정각에 끝난다. finish at 11 o'clock

➡

★ cook 요리하다
★ wash one's hair 머리를 감다
★ wear 신다, 입다
★ green 초록색의
★ socks 양말
★ library 도서관
★ necklace 목걸이
★ drive 운전하다
★ daughter 딸
★ finish 끝나다
★ o'clock 정각

실전 테스트

1 다음 동사원형과 3인칭 단수 현재형이 바르게 짝지어지지 않은 것을 고르세요.

① cry — crys
② come — comes
③ eat — eats
④ catch — catches
⑤ pass — passes

★ cry 울다
★ catch 잡다
★ pass 통과하다

[2~3] 다음 빈칸에 들어갈 말로 알맞은 것을 고르세요.

2

_____ walks to school every morning.

① I
② Jenna
③ You
④ We
⑤ Jane and Peter

★ every morning 매일 아침

3

_____ love science very much.

① Sara
② My brother
③ My teacher
④ The woman
⑤ Sara and Lisa

★ science 과학
★ very much 매우 많이

4 다음 빈칸에 들어갈 말로 알맞지 않은 것을 고르세요.

David _____ his homework.

① start
② begins
③ does
④ finishes
⑤ likes

★ start 시작하다
★ begin 시작하다
★ finish 끝내다

5 다음 밑줄 친 부분을 바르게 고쳐 쓴 것을 고르세요.

My dog stay outside.

① stay　② staies
③ stays　④ stayes
⑤ stayies

★ outside 밖에(서)

[6~7] 다음 밑줄 친 부분이 잘못 쓰인 것을 고르세요.

6

① I get up early.
② Kate has two brothers.
③ Tom and Paul watches TV after dinner.
④ My father exercises every morning.
⑤ Bill finishes his homework at 10 o'clock.

★ get up 일어나다
★ watch 보다, 시청하다
★ exercise 운동하다

7

① An airplane flies fast.
② My mother gets up early.
③ I learn Chinese every day.
④ We enjoy soccer games.
⑤ Jina washs her hair every night.

★ airplane 비행기
★ learn 배우다
★ Chinese 중국어
★ enjoy 즐기다
★ soccer game 축구 경기
★ wash one's hair 머리를 감다

8 다음 빈칸에 들어갈 말을 바르게 짝지은 것을 고르세요.

• My sister ________ a new bag.
• Tom and I ________ English together.

① need — study　② needs — study
③ need — studies　④ needs — studys
⑤ needs — studies

★ new 새로운
★ together 함께

서술형

[9~12] 다음 우리말과 뜻이 같도록 주어진 단어를 빈칸에 알맞은 형태로 쓰세요.

9

그 학교는 6시에 문을 닫는다. close

➡ The school ____________ at 6 o'clock.

★ close 닫다

10

Amy는 부모님을 매우 그리워한다. miss

➡ Amy ____________ her parents very much.

★ miss 그리워하다
★ parents 부모님

11

그는 방과 후에 야구를 한다. play

➡ He ____________ baseball after school.

★ play baseball 야구를 하다
★ after school 방과 후에

12

Ben과 나는 매일 도서관에 간다. go

➡ Ben and I ____________ to the library every day.

★ library 도서관
★ every day 매일

일반동사 현재형의 부정문

We don't eat chocolate.
우리는 초콜릿을 먹지 않아.

do not
= don't

does not
= doesn't

부정문을 만들 때는 단어 not을 사용해요. 그런데 일반동사의 현재형을 부정문으로 만들 때 not이 동사 뒤에 바로 붙는 것이 아니라 조동사 do나 does의 도움이 필요해요. 그래서 일반동사 현재형 문장에서 '~하지 않다'라고 말할 때는 동사 앞에 do not이나 does not을 붙여요.

일반동사의 부정문

1 일반동사 부정문의 의미와 쓰임

- '~하지 않다'라는 뜻으로 일반동사의 내용을 반대로 부정하는 문장이에요.
- 주어 뒤에 do not이나 does not을 쓰고 뒤에는 항상 동사원형을 써요.

You like cats. 너는 고양이를 좋아한다.

You **do not** like cats. 너는 고양이를 좋아하지 않는다.

주어		부정문
1인칭/2인칭/복수	I/You/We/They	주어 + **do not** + 동사원형
3인칭 단수	He/She/It	주어 + **does not** + 동사원형

2 주어가 1인칭, 2인칭, 복수인 경우 주어 + do not + 동사원형

I **drink** milk. 나는 우유를 마신다.

→ I **do not drink** milk. 나는 우유를 마시지 않는다.

My friends eat breakfast. 내 친구들은 아침을 먹는다.

→ **My friends do not eat** breakfast. 내 친구들은 아침을 먹지 않는다.

3 주어가 3인칭 단수인 경우 주어 + does not + 동사원형

He knows me. 그는 나를 안다.

→ **He does not know** me. 그는 나를 알지 못한다.

Kate reads comic books. Kate는 만화책을 읽는다.

→ **Kate does not read** comic books. Kate는 만화책을 읽지 않는다.

Tip be동사의 부정문은 be동사 '뒤에' not을 쓰고, 일반동사의 부정문은 일반동사 '앞에' do not이나 does not을 써요.

You **are** his teacher. 당신은 그의 선생님이다.

→ You **are not** his teacher. 당신은 그의 선생님이 아니다.

I **drink** coffee. 나는 커피를 마신다.

→ I **do not drink** coffee. 나는 커피를 마시지 않는다.

부정문에 쓰이는 do나 does는 '~하다'라는 뜻의 일반동사가 아니라 동사를 도와주는 역할을 하는 조동사야.

Unit 2

A 다음 주어진 말 중에서 알맞은 부정형을 고르세요.

1 I (do not) does not know him.

2 You do not does not like hamburgers.

3 Sophia do not does not eat vegetables.

4 They do not does not have cats.

5 He do not does not listen to music.

6 Jason do not does not live alone.

7 My brothers do not does not buy cell phones.

- ★ know 알다
- ★ vegetable 채소
- ★ listen to ~을 듣다
- ★ live 살다
- ★ alone 혼자
- ★ cell phone 휴대전화
- ★ call 전화하다
- ★ class 수업
- ★ catch 잡다
- ★ mouse 쥐 (복수형: mice)
- ★ lizard 도마뱀
- ★ parents 부모님
- ★ drink 마시다

B 다음 주어진 말 중에서 알맞은 주어를 고르세요.

1 They (Anna) does not call me.

2 I He do not go to the party.

3 We Jade does not have a class today.

4 My cat My cats does not catch mice.

5 He They does not like lizards.

6 My aunt My parents do not drink coffee.

7 Janet Sam and Tony do not need it.

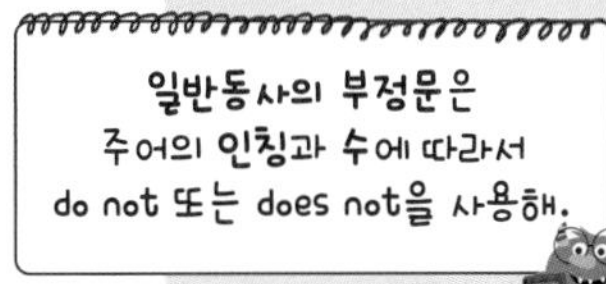

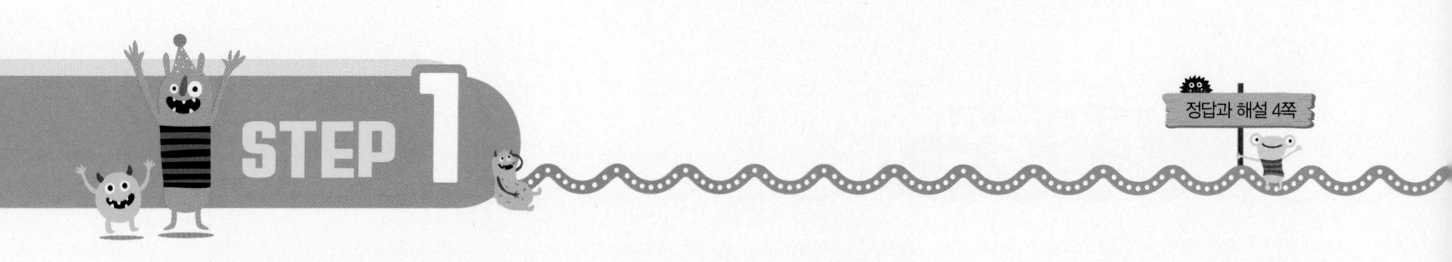

다음 우리말과 뜻이 같도록 빈칸에 do not이나 does not을 쓰세요.

1 지수는 열심히 공부하지 않는다.

➡ Jisu [does not] study hard.

2 그들은 운동하지 않는다.

➡ They [ ] exercise.

3 Jack은 신문을 읽지 않는다.

➡ Jack [ ] read newspapers.

4 상어들은 다리를 가지고 있지 않다.

➡ Sharks [ ] have legs.

5 우리는 외식하지 않는다.

➡ We [ ] eat outside.

6 나의 누나는 나를 도와주지 않는다.

➡ My sister [ ] help me.

7 그녀는 일찍 일어나지 않는다.

➡ She [ ] get up early.

8 너는 자를 사용하지 않는다.

➡ You [ ] use a ruler.

9 나는 컴퓨터 게임을 하지 않는다.

➡ I [ ] play computer games.

10 Green 씨는 요리하지 않는다.

➡ Ms. Green [ ] cook.

★ study 공부하다
★ hard 열심히
★ exercise 운동하다
★ read 읽다
★ newspaper 신문
★ shark 상어
★ leg 다리
★ eat outside 외식하다
★ help 도와주다
★ get up 일어나다
★ early 일찍
★ use 사용하다
★ ruler 자
★ cook 요리하다

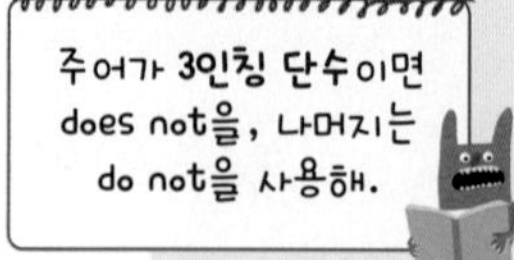

다음 밑줄 친 부분을 바르게 고쳐 문장을 다시 쓰세요.

1 You does not read books.

➡ You do not read books.

2 The dog do not bark.

➡

3 My parents are not go to the movies.

➡

4 The girl not does clean her room.

➡

5 My brother do not drink milk.

➡

6 I am not watch TV.

➡

일반동사의 부정문은 「주어+do[does] not+동사원형」 순서로 써.

7 They does not do their homework.

➡ 

8 Frank is not like kiwi juice.

➡ 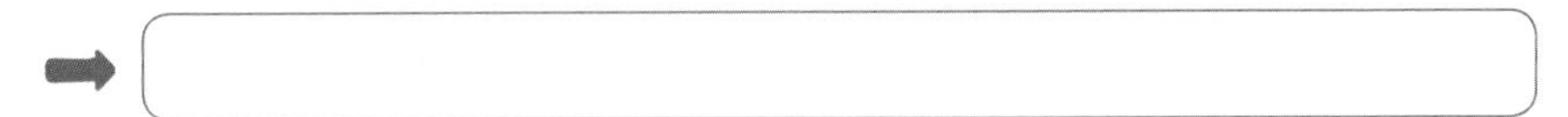

9 The bakery not does open at 8 o'clock.

➡ 

10 We does not eat rice noodles.

➡ 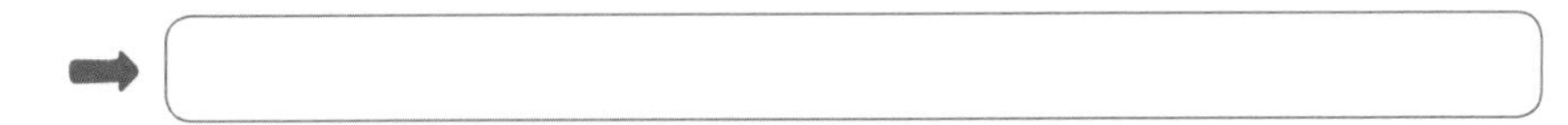

★ bark 짖다
★ go to the movies 영화 보러 가다
★ clean 청소하다
★ milk 우유
★ watch 보다
★ homework 숙제
★ kiwi 키위
★ bakery 빵집, 제과점
★ rice noodle 쌀국수

Unit 2

다음 문장을 부정문으로 바꿔 쓰세요.

1 She wears jeans.

➡ She does not wear jeans.

2 I need a pencil.

➡

3 Jessie learns Chinese.

➡

4 We live in Ansan.

➡

5 Andy and Mitchell like snakes.

➡

6 My turtle eats well.

➡

7 They sing a song.

➡

8 Tony takes walks.

➡

9 I answer the question.

➡

10 Sarah keeps a diary.

➡

★ wear 입다, 착용하다
★ jeans 청바지
★ need 필요하다
★ pencil 연필
★ learn 배우다
★ Chinese 중국어
★ snake 뱀
★ turtle 거북이
★ well 잘
★ sing a song 노래를 부르다
★ take walks 산책하다
★ answer 대답하다
★ question 질문
★ keep a diary 일기를 쓰다

주어가 3인칭 단수라도 does not 뒤에는 항상 동사원형을 써야 해.

다음 우리말과 뜻이 같도록 주어진 단어를 사용하여 문장을 쓰세요.

1 우리는 춤추지 않는다. `dance`

➡ We do not dance.

2 나는 그녀에게 전화하지 않는다. `call`

➡

3 그녀는 게임을 하지 않는다. `play games`

➡

4 Daniel는 저녁을 먹지 않는다. `eat dinner`

➡

5 너는 거짓말을 하지 않는다. `lie`

➡

6 Jenny와 나는 노래를 하지 않는다. `sing`

➡

7 그는 길을 건너지 않는다. `cross the street`

➡

8 Alex는 손을 씻지 않는다. `wash his hands`

➡

9 토끼들은 날지 않는다. `rabbits` `fly`

➡

10 그 로봇은 빨리 움직이지 않는다. `the robot` `move fast`

➡

★ dance 춤추다
★ dinner 저녁 식사
★ lie 거짓말을 하다
★ cross 건너다
★ street 길, 거리
★ wash hands 손을 씻다
★ rabbit 토끼
★ move 움직이다
★ fast 빨리

주어의 인칭과 수를 잘 확인해서 do not 또는 does not을 써야 해.

do not과 dose not의 줄임말

1 일반동사 부정문의 줄임말

• do not이나 does not은 don't나 doesn't로 줄여 쓸 수 있어요.

• 부정문을 만들 때 don't나 doesn't 뒤에는 항상 동사원형을 써요.

You **don't(= do not)** get up early. 너는 일찍 일어나지 않는다.

He **doesn't(= does not)** play tennis. 그는 테니스를 치지 않는다.

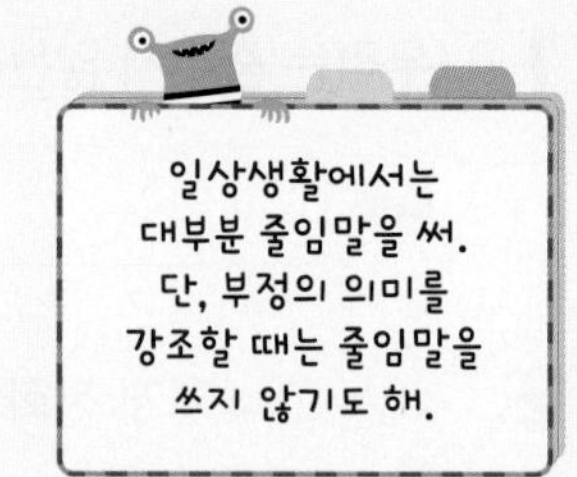

주어		부정문
1인칭/2인칭/복수	I/You/We/They	주어 + **don't** + 동사원형
3인칭 단수	He/She/It	주어 + **doesn't** + 동사원형

Tip 일반동사 do의 부정문 don't[doesn't] do에서, 앞의 do[does]는 부정문을 만들기 위해 쓰이는 조동사이고, 뒤의 do는 '~하다'라는 뜻의 일반동사에요.

I **don't** (조동사) **do** (일반동사) exercise on Monday. 나는 월요일에 운동을 하지 않는다.

He **doesn't** (조동사) **do** (일반동사) his homework. 그는 숙제를 하지 않는다.

2 주어가 1인칭, 2인칭, 복수인 경우 주어 + don't + 동사원형

I don't like chocolate. 나는 초콜릿을 좋아하지 않는다.

= **I do not like** chocolate.

Rachel and Eva don't live in Seoul. Rachel과 Eva는 서울에 살지 않는다.

= **Rachel and Eva do not live** in Seoul.

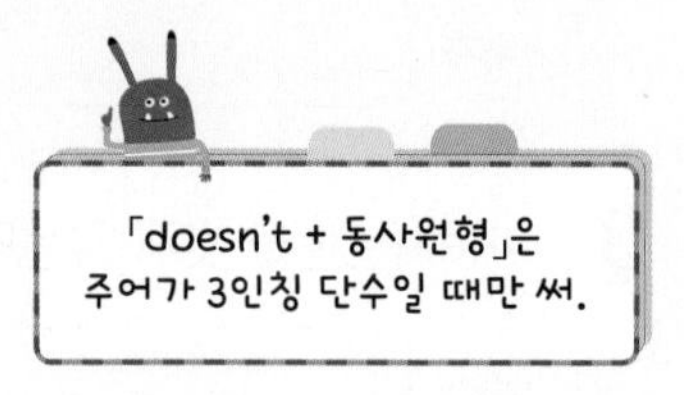

3 주어가 3인칭 단수인 경우 주어 + doesn't + 동사원형

It doesn't run fast. 그것은 빨리 달리지 않는다.

= **It does not run** fast.

My teacher doesn't teach English. 나의 선생님은 영어를 가르치시지 않는다.

= **My teacher does not teach** English.

Unit 2

A 다음 주어진 두 단어 중에서 알맞은 줄임말을 고르세요.

1 She don't (doesn't) live in Seoul.

2 We don't doesn't eat onions.

3 David don't doesn't sleep late.

4 Ms. Kim don't doesn't teach math.

5 They don't doesn't like pizza.

6 My father don't doesn't have a brother.

7 Jaeho and Sumin don't doesn't play the guitar.

B 다음 주어진 말 중에서 알맞은 동사를 고르세요.

1 You don't (get) gets up early.

2 Tom doesn't plays play hockey.

3 He doesn't wear wears a school uniform.

4 The baby doesn't eats eat soup.

5 Ellen doesn't take takes the subway.

6 They don't has have a ladder.

7 The students don't go goes to the library.

★ live 살다
★ onion 양파
★ sleep 자다
★ late 늦게
★ teach 가르치다
★ math 수학
★ get up 일어나다
★ hockey 하키
★ wear 입다
★ school uniform 교복
★ take the subway 지하철을 타다
★ ladder 사다리
★ student 학생
★ library 도서관

현재시제에서 일반동사의 부정형은 **don't**나 **doesn't**로 줄여 쓸 수 있고, 뒤에는 **동사원형**이 와야해.

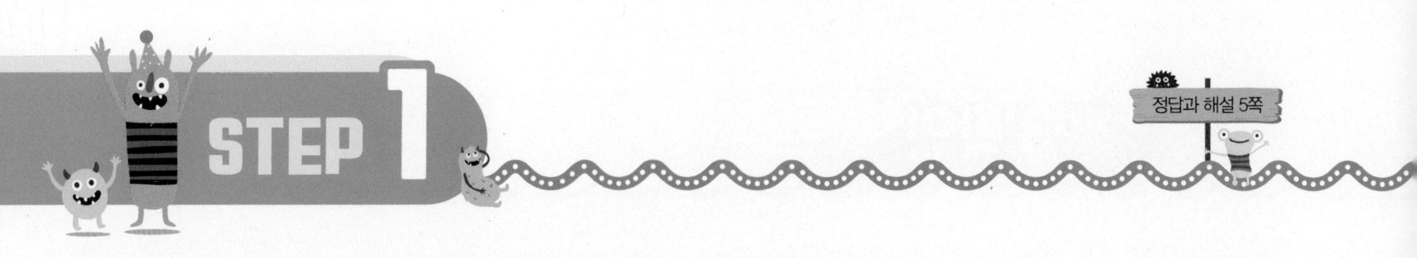

다음 우리말과 뜻이 같도록 주어진 단어를 사용하여 문장을 완성하세요. (줄임형으로 쓰세요.)

1 나의 아들은 숙제를 하지 않는다. do

➡ My son [doesn't do] his homework.

2 나는 체스를 두지 않는다. play

➡ I [ ] chess.

3 Hannah는 모자를 쓰지 않는다. wear

➡ Hannah [ ] a cap.

4 그들은 교실을 청소하지 않는다. clean

➡ They [ ] the classroom.

5 Leo는 그의 장난감을 좋아하지 않는다. like

➡ Leo [ ] his toy.

6 White 씨는 오늘 몸이 좋지 않다. feel

➡ Mr. White [ ] well today.

7 우리는 눈사람을 만들지 않는다. make

➡ We [ ] a snowman.

8 너는 내 전화번호를 알지 못한다. know

➡ You [ ] my phone number.

9 Noah는 카메라를 가지고 있지 않다. have

➡ Noah [ ] a camera.

10 그 어린이들은 실내에서 뛰지 않는다. run

➡ The children [ ] indoors.

★ do one's homework 숙제를 하다
★ chess 체스
★ cap 모자
★ clean 청소하다
★ classroom 교실
★ toy 장난감
★ feel well 몸(건강)이 좋다
★ snowman 눈사람
★ phone number 전화번호
★ indoors 실내에서

doesn't do에서 앞의 does는 부정문에 필요한 조동사이고, 뒤의 do는 일반동사야.

6번의 well은 '건강한'이라는 의미의 형용사야.

다음 밑줄 친 부분을 줄임말 형태로 바르게 고쳐 쓰세요.

1 I doesn't wake up at 8:00.

➡ I don't wake up at 8:00.

2 They not sleep in the room.

➡

3 She don't take a shower every day.

➡

4 My mother doesn't eats noodles.

➡

5 Her friends aren't play with me.

➡

6 Kevin don't wear glasses.

➡

7 They doesn't draw a picture.

➡

8 This store isn't sell cherries.

➡

9 We remember not her name.

➡

10 His cat doesn't likes fish.

➡

★ wake up (잠에서) 깨다
★ sleep 자다
★ take a shower 샤워를 하다
★ noodle 국수
★ wear 쓰다, 착용하다
★ glasses 안경
★ draw 그리다
★ picture 그림
★ sell 팔다
★ cherry 체리
★ remember 기억하다
★ name 이름

wear은 무언가를 입거나 착용하는 모든 표현에 사용할 수 있어.

wear gloves
장갑을 끼다
wear socks
양말을 신다
wear a hat
모자를 쓰다
wear a necklace
목걸이를 하다

다음 밑줄 친 부분을 주어진 단어로 바꾸어 문장을 다시 쓰세요.

1 My friends don't have long hair. My sister

➡ My sister doesn't have long hair.

2 The bus doesn't stop here. The taxis

➡

3 They don't try hard. She

➡

4 Andy and Rosa don't go shopping. Christine

➡

5 Amy doesn't like animals. You

➡

6 He doesn't live in London. My parents

➡

7 I don't eat strawberries. Brian

➡

8 We don't go to the bank. Jenny

➡

9 She doesn't use pencils. I

➡

10 Ms. Peggy doesn't drink coffee in the morning. We

➡

- ★ hair 머리카락
- ★ stop 서다, 멈추다
- ★ try 노력하다
- ★ hard 열심히
- ★ go shopping 쇼핑하러 가다
- ★ animal 동물
- ★ strawberry 딸기
- ★ bank 은행
- ★ pencil 연필

주어가 1인칭, 2인칭, 복수일 때는 일반동사 앞에 don't을 쓰면 부정문이 돼. 주어가 3인칭 단수일 때는 doesn't을 써야 해.

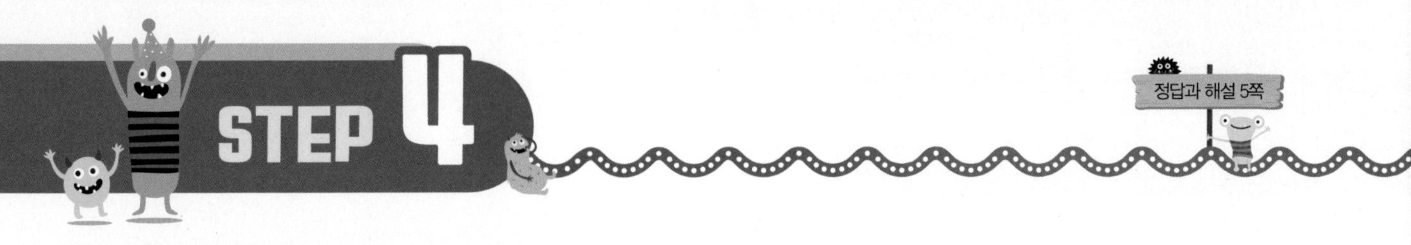

Unit 2

다음 우리말과 뜻이 같도록 주어진 단어를 사용하여 문장을 쓰세요. (줄임형으로 쓰세요.)

1 우리는 탁자가 없다. have a table

➡ We don't have a table.

2 나는 춤을 잘 못 춘다. dance well

➡

3 Cathy는 캠핑을 가지 않는다. go camping

➡

4 그녀는 골프를 치지 않는다. play golf

➡

5 그들은 영어 공부를 하지 않는다. study English

➡

6 Janet은 벌레를 싫어하지 않는다. hate bugs

➡

7 그는 공원을 청소하지 않는다. clean the park

➡

8 Frank와 Sue는 자동차를 운전하지 않는다. drive a car

➡

9 너는 생선을 먹지 않는다. eat fish

➡

10 Jamie는 사진을 찍지 않는다. take pictures

➡

★ table 탁자
★ dance 춤추다
★ go camping 캠핑을 가다
★ golf 골프
★ hate 싫어하다
★ bug 벌레
★ clean 청소하다
★ park 공원
★ drive 운전하다
★ take a picture 사진을 찍다

일반동사의 부정형 don't나 doesn't 뒤에는 항상 동사원형을 써야 해.

실전 테스트

[1~2] 다음 빈칸에 들어갈 말로 알맞지 않은 것을 고르세요.

1

________ don't clean the room every day.

① I ② We
③ Judy ④ They
⑤ Tom and Jane

★ clean 청소하다
★ room 방
★ every day 매일

2

________ doesn't like baseball.

① She ② Steve
③ The girl ④ My mom
⑤ The children

★ baseball 야구

[3~4] 다음 문장을 부정문으로 바르게 바꾼 것을 고르세요.

3

He wears jeans.

① He isn't wear jeans.
② He not wears jeans.
③ He don't wear jeans.
④ He wears not jeans.
⑤ He doesn't wear jeans.

★ wear 입다
★ jeans 청바지

4

Jiho and I buy toys there.

① Jiho and I not buy toys there.
② Jiho and I buy not toys there.
③ Jiho and I don't buy toys there.
④ Jiho and I aren't buy toys there.
⑤ Jiho and I doesn't buy toys there.

★ toy 장난감

[5~6] 다음 밑줄 친 부분이 잘못 쓰인 것을 고르세요.

5
① I don't drink milk.
② We don't want homework.
③ They don't read comic books.
④ Bill doesn't wash his hair at night.
⑤ Andy and I doesn't study in the library.

★ homework 숙제
★ comic book 만화책
★ wash one's hair 머리를 감다
★ library 도서관

6
① They do not play golf.
② He does not swim in the sea.
③ I do not live with my parents.
④ She does not have a computer.
⑤ Cindy do not sleep on a bed.

★ play golf 골프를 치다
★ sea 바다
★ live with ~와 살다

7 **다음 중 올바른 문장을 고르세요.**
① The bus does not stop here.
② The company not makes cars.
③ The book do not have pictures.
④ The store don't opens on Sundays.
⑤ School does not finishes at 2 o'clock.

★ stop 서다, 멈추다
★ company 회사
★ picture 그림
★ store 가게, 상점
★ finish 끝나다

8 **다음 우리말을 영어로 바르게 옮긴 것을 고르시오.**

> Jack은 그녀의 이름을 기억하지 못한다.

① Jack isn't remember her name.
② Jack not remembers her name.
③ Jack don't remember her name.
④ Jack doesn't remember her name.
⑤ Jack doesn't remembers her name.

★ remember 기억하다

서술형

[9~12] 다음 우리말과 뜻이 같도록 주어진 단어를 사용하여 문장을 완성하세요. (줄임형으로 쓰세요.)

9

내 아들은 아침에 일찍 일어나지 않는다.

get

➡ My son ______ up early in the morning.

★ get up 일어나다
★ early 일찍

10

Jeremy와 Sam은 닭고기를 먹지 않는다.

eat

➡ Jeremy and Sam ______ chicken.

★ chicken 닭고기

11

Sally는 엄마를 돕지 않는다. help

➡ Sally ______ her mother.

★ help 돕다

12

우리는 학교에 걸어가지 않는다. walk

➡ We ______ to school.

★ walk 걸어가다
★ school 학교

일반동사 현재형의 의문문

Lesson 1 일반동사의 의문문

Lesson 2 일반동사 의문문의 대답

일반동사의 현재형을 의문문으로 만들 때는 부정문처럼 do나 does의 도움이 필요해요. 그래서 일반동사의 현재형이 쓰인 문장에서 '~하니?'라고 물어볼 때는 Do나 Does를 문장의 맨 앞에 써요.

Lesson 1 일반동사의 의문문

1 일반동사 의문문의 의미와 쓰임

- '~는 ~을 하니?'라고 물어볼 때 쓰는 문장이에요.
- 주어 앞에 Do나 Does를 쓰고 주어 뒤에는 항상 동사원형을 써요.

You like cats. 너는 고양이를 좋아한다.

Do you like cats? 너는 고양이를 좋아하니?

주어		의문문
1인칭 / 2인칭 / 복수	I / You / We / They	**Do** + 주어 + 동사원형 ~?
3인칭 단수	He / She / It	**Does** + 주어 + 동사원형 ~?

2 주어가 1인칭, 2인칭, 복수인 경우 Do + 주어 + 동사원형 + ~?

You **get** up at seven. 너는 7시에 일어난다.

→ **Do** you **get** up at seven? 너는 7시에 일어나니?

The children **have** cell phones. 그 아이들은 휴대전화가 있다.

→ **Do** the children **have** cell phones? 그 아이들은 휴대전화가 있니?

3 주어가 3인칭 단수인 경우 Does + 주어 + 동사원형 + ~?

Your mom **cooks** well. 너의 엄마는 요리를 잘하신다.

→ **Does** your mom **cook** well? 너의 엄마는 요리를 잘하시니?

Ben **goes** to school by bicycle. Ben은 자전거를 타고 학교에 간다.

→ **Does** Ben **go** to school by bicycle? Ben은 자전거를 타고 학교에 가니?

Tip be동사 의문문은 be동사를 주어 앞으로 보내고, 일반동사 의문문은 Do[Does]를 주어 앞에 써요.

You are a student. 너는 학생이다.

→ **Are you** a student? 너는 학생이니?

She likes oranges. 그녀는 오렌지를 좋아한다.

→ **Does she like** oranges? 그녀는 오렌지를 좋아하니?

A 다음 주어진 두 단어 중에서 알맞은 것을 고르세요.

1 Do / Does you like watermelon?

2 Do / Does he go to elementary school?

3 Do / Does they live in Busan?

4 Do / Does she have a camera?

5 Do / Does Lisa do her homework?

6 Do / Does your friends play baseball?

7 Do / Does the store sell shoes?

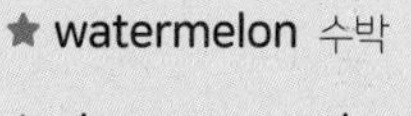

★ watermelon 수박
★ elementary school 초등학교
★ homework 숙제
★ baseball 야구
★ store 가게
★ sell 팔다
★ breakfast 아침
★ grow 기르다
★ vegetable 채소
★ wear 쓰다, 착용하다
★ glasses 안경

Unit 3

B 다음 주어진 두 단어 중에서 알맞은 주어를 고르세요.

1 Do they / his son eat breakfast?

2 Does we / Sarah meet her friends?

3 Do she / you know Mina?

4 Does your father / Sam and Jake help you?

5 Do they / Mr. Scott grow vegetables?

6 Does your friends / your aunt wear glasses?

7 Do you / the boy drink milk every day?

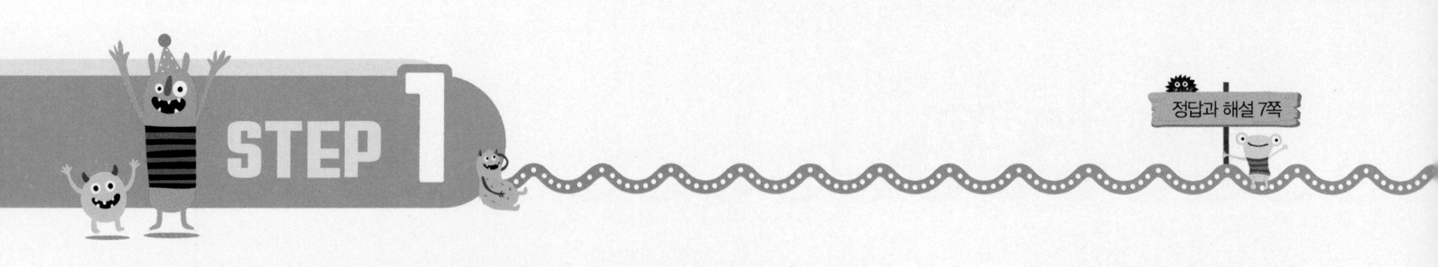

다음 우리말과 뜻이 같도록 빈칸에 Do나 Does를 쓰세요.

1 그녀의 아기는 많이 우니?

➡ [Does] her baby cry a lot?

2 너는 쇼핑을 좋아하니?

➡ [ ] you like shopping?

3 John은 여동생이 있니?

➡ [ ] John have a sister?

4 우리는 설탕이 필요하니?

➡ [ ] we need sugar?

5 그는 축구를 잘하니?

➡ [ ] he play soccer well?

6 그 학생들은 열심히 노력하니?

➡ [ ] the students try hard?

7 Tiffany는 노래를 잘하니?

➡ [ ] Tiffany sing well?

8 너의 학교는 3시에 끝나니?

➡ [ ] your school finish at 3 o'clock?

9 그들은 매일 커피를 마시니?

➡ [ ] they drink coffee every day?

10 그 박물관은 8시에 여니?

➡ [ ] the museum open at 8 o'clock?

★ baby 아기
★ cry 울다
★ a lot 많이
★ sugar 설탕
★ soccer 축구
★ try 노력하다
★ hard 열심히
★ sing 노래하다
★ finish 끝나다
★ o'clock ~시 (정각)
★ museum 박물관

현재시제이고 모두 일반동사가 쓰였으니까 Do나 Does를 써서 의문문을 완성하면 돼.

정답과 해설 7쪽

다음 밑줄 친 부분을 바르게 고쳐 문장을 다시 쓰세요.

1 Does you wash the dishes?

➡ Do you wash the dishes?

2 Does the bus stops here?

➡

3 Am I know her address?

➡

4 Does we need coins?

➡

5 Does your father cooks well?

➡

6 Does Junsu and Mirae like peaches?

➡

7 Do she learn French?

➡

8 Are they exercise every day?

➡

9 Does he travels with his parents?

➡

10 Is that bus go to the airport?

➡

★ wash the dishes 설거지를 하다
★ stop 멈추다
★ address 주소
★ coin 동전
★ cook 요리하다
★ peach 복숭아
★ learn 배우다
★ French 프랑스어
★ exercise 운동하다
★ every day 매일
★ travel 여행하다
★ airport 공항

일반동사 현재형의 의문문은 Do나 Does로 시작하고 주어의 인칭과 수에 상관없이 뒤에 동사원형을 써.

다음 문장을 의문문으로 바꿔 쓰세요.

1 You travel every summer.

➡ Do you travel every summer?

2 Brian dances well.

➡

3 They study in the library.

➡

4 Sally lives in Toronto.

➡

5 Your father reads the newspaper.

➡

6 Kate and Abby play together.

➡

7 The kite flies high.

➡

8 Elephants have large ears.

➡

9 Your friends go skating.

➡

10 Elsa does yoga every morning.

➡

★ travel 여행하다
★ summer 여름
★ dance 춤추다
★ library 도서관
★ newspaper 신문
★ together 함께
★ kite 연
★ high 높이, 높게
★ elephant 코끼리
★ large 큰
★ ear 귀
★ go skating 스케이트 타러 가다
★ yoga 요가
★ morning 아침

현재시제가 쓰인 일반동사의 의문문은 [Do(es) + 주어 + 동사원형 ~ ?] 순서로 써.

다음 우리말과 뜻이 같도록 주어진 단어를 사용하여 문장을 쓰세요.

1 펭귄들은 물고기를 좋아하니? penguins fish

➡ Do penguins like fish?

2 Jake는 아침을 먹니? eat breakfast

➡

3 Matt와 Joe는 테니스를 치니? play tennis

➡

4 그녀는 가위가 필요하니? need scissors

➡

5 너희는 그녀의 생일을 아니? know birthday

➡

6 이 피자는 냄새가 좋니? pizza smell good

➡

7 너는 많은 사촌들이 있니? have many cousins

➡

8 그들은 집에서 영화를 보니? watch movies at home

➡

9 그는 매일 아침 조깅을 하니? jog every morning

➡

10 그 병원은 일요일마다 문을 여니? the hospital open on Sundays

➡

- ★ penguin 펭귄
- ★ breakfast 아침식사
- ★ tennis 테니스
- ★ know 알다
- ★ birthday 생일
- ★ smell ~한 냄새가 나다
- ★ cousin 사촌
- ★ watch 보다
- ★ movie 영화
- ★ jog 조깅하다
- ★ hospital 병원
- ★ Sunday 일요일

주어가 1인칭, 2인칭, 복수일 때는 do를 써서 의문문을 만들고, 주어가 3인칭 단수일 때는 does를 써서 의문문을 만들어.

Unit 3

Lesson 2 일반동사 의문문의 대답

1 일반동사 의문문의 대답

- 긍정일 때는 「Yes, 주어 + do / does.」로, 부정일 때는 「No, 주어 + don't / doesn't.」로 대답해요.
- 대답할 때 주어는 항상 대명사로 쓰고, 여성이면 she, 남성이면 he, 동물이나 사물이면 it으로 써요.

주어	의문문	대답
1인칭, 2인칭, 복수	Do **I** + 동사원형 ~?	Yes, **you** do. / No, **you** don't.
	Do **you** + 동사원형 ~?	Yes, **I[we]** do. / No, **I[we]** don't.
	Do **we** + 동사원형 ~?	Yes, **you** do. / No, **you** don't.
	Do **they** + 동사원형 ~?	Yes, **they** do. / No, **they** don't.
3인칭 단수	Does **he** + 동사원형 ~?	Yes, **he** does. / No, **he** doesn't.
	Does **she** + 동사원형 ~?	Yes, **she** does. / No, **she** doesn't.
	Does **it** + 동사원형 ~?	Yes, **it** does. / No, **it** doesn't.

◆ Do we ~? 의문문에서 대답하는 사람이 we에 포함되어 있을 경우에는 「Yes, we do. / No, we don't.」로 답하기도 해요.

A **Do you** like apples?
너는 사과를 좋아하니?

B Yes, **I do**. / No, **I don't**.
응, 그래. / 아니, 그렇지 않아.

A **Does your brother** wear glasses?
너의 오빠는 안경을 쓰니?

B Yes, **he does**. / No, **he doesn't**.
응, 그래. / 아니, 그렇지 않아.

A **Does Amy** get up early?
Amy는 일찍 일어나니?

B Yes, **she does**. / No, **she doesn't**.
응, 그래. / 아니, 그렇지 않아.

A **Does the store** open at 10 o'clock?
그 가게는 10시에 문을 여니?

B Yes, **it does**. / No, **it doesn't**.
응, 그래. / 아니, 그렇지 않아.

Tip 의문문의 주어가 you일 때, you가 가리키는 대상이 단수이면 「Yes, I do. / No, I don't.」로 대답하고, 복수이면 「Yes, we do. / No, we don't.」로 대답해요.

A Do **you** like me? <단수>
너는 나를 좋아하니?

B Yes, **I** do. / No, **I** don't.
응, 그래. / 아니, 그렇지 않아.

A Do **you** like me? <복수>
너희는 나를 좋아하니?

B Yes, **we** do. / No, **we** don't.
응, 그래. / 아니, 그렇지 않아.

A 다음 주어진 두 단어 중에서 알맞은 것을 고르세요.

1 A Do you have a pen?
B No, I (don't) doesn't .

2 A Does he sing well?
B Yes, he do does .

3 A Do we need chairs?
B No, we don't doesn't .

4 A Do your parents cook well?
B Yes, they do does .

5 A Does Sam speak Chinese?
B No, he don't doesn't .

6 A Do Amy and Tom walk to school?
B Yes, they do does .

★ sing 노래하다
★ chair 의자
★ speak 말하다
★ Chinese 중국어
★ cook 요리하다
★ walk 걷다
★ seafood 해산물
★ tiger 호랑이
★ fast 빨리
★ use 사용하다
★ pants 바지
★ sell 팔다
★ toy 장난감

Unit 3

B 다음 질문에 대한 대답으로 알맞은 것을 고르세요.

1 A Does he like seafood?
B Yes, (he does) he doesn't .

2 A Do tigers run fast?
B Yes, it does they do .

3 A Does she use a computer?
B No, she don't she doesn't .

4 A Do you want new pants?
B No, I don't you don't .

5 A Do your friends like your house?
B Yes, they do they does .

6 A Does the store sell toys?
B No, it does it doesn't .

Do로 물어보면 do로,
Does로 물어보면 does로
대답한다고 생각하면 쉬워!

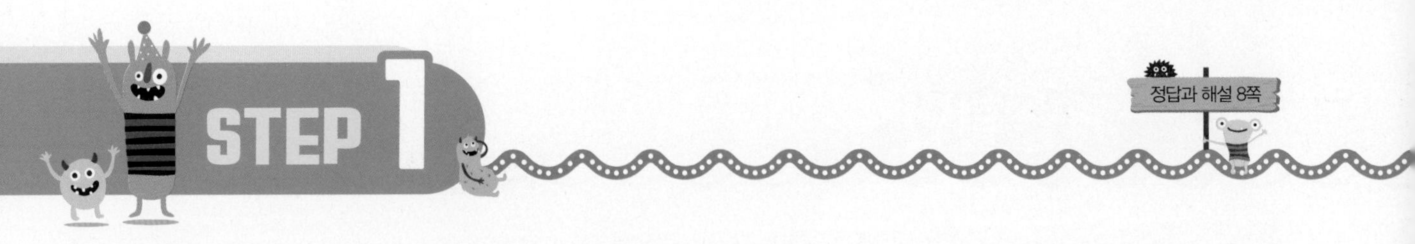

정답과 해설 8쪽

다음 대화를 보고 빈칸에 알맞은 말을 넣어 문장을 완성하세요.

1 A Do you take a shower every day?
B Yes, I [do].

2 A Does Emma play the viola?
B Yes, she [ ].

3 A Do your teachers like you?
B Yes, they [ ].

4 A Does Kate go fishing?
B No, she [ ].

5 A Do you have a test today?
B No, I [ ].

6 A Does James have short hair?
B Yes, he [ ].

7 A Does your school close on Fridays?
B No, it [ ].

8 A Do Tony and Ann dance well?
B No, they [ ].

9 A Does your father come home at 6 o'clock?
B No, he [ ].

10 A Do the boys play computer games?
B Yes, they [ ].

★ take a shower 샤워를 하다
★ viola 비올라
★ teacher 선생님
★ go fishing 낚시하러가다
★ test 시험
★ short 짧은
★ hair 머리카락
★ close 문을 닫다
★ Friday 금요일
★ come 오다

의문문에 대한 답을 할 때, 의문문의 주어가 명사이면 알맞은 대명사로 바꿔서 대답해야 해.

다음 밑줄 친 부분을 바르게 고쳐 문장을 다시 쓰세요.

1 A Do your friends have smartphones?
B Yes, they don't. ➡ Yes, they do.

2 A Do you live in Suwon?
B No, you don't. ➡

3 A Does Kathy play basketball?
B Yes, she doesn't. ➡

4 A Does Tim draw pictures well?
B No, he don't. ➡

5 A Do Ron and Grace eat snacks?
B Yes, we do. ➡

6 A Do snakes have legs?
B No, they do. ➡

7 A Does Megan need scissors?
B No, she does. ➡

8 A Do you and Frank have a class today?
B Yes, I do. ➡

9 A Does your brother go to middle school?
B Yes, he do. ➡

10 A Do you and Amy sleep on the floor?
B No, we doesn't. ➡ 

★ live 살다
★ basketball 농구
★ draw 그리다
★ picture 그림
★ snack 간식
★ snake 뱀
★ leg 다리
★ scissors 가위
★ class 수업
★ today 오늘
★ middle school 중학교
★ floor 바닥

주어가 단수인지 복수인지 대답이 긍정인지 부정인지를 먼저 확인하고 대답할 때는 주어를 대명사로 써야 해.

Unit 3

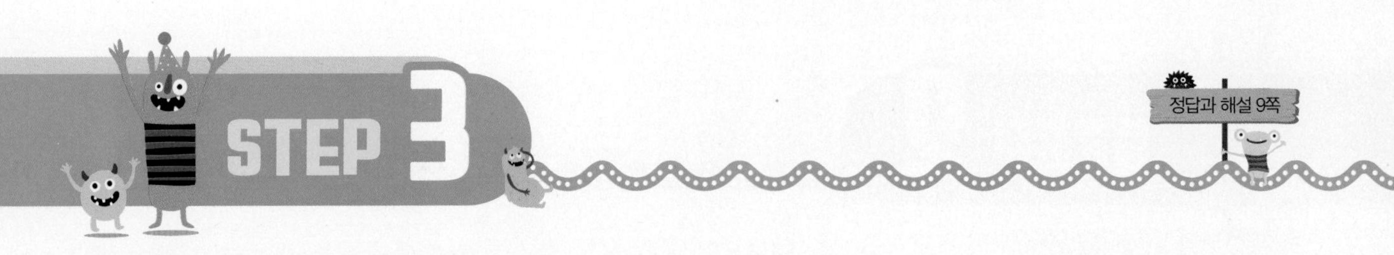

다음 질문에 대한 대답을 긍정 또는 부정에 맞게 완성하세요.

1 Does the girl read comic books?

➡ Yes, she does.

2 Do they exercise every morning?

➡ No, ________.

3 Do you listen to music every day?

➡ Yes, ________.

4 Does your brother have small feet?

➡ No, ________.

5 Does she love Pete?

➡ No, ________.

6 Do Andy and Debby study together?

➡ Yes, ________.

7 Does this train go to Daejeon?

➡ No, ________.

8 Do you live with your grandparents?

➡ No, ________.

9 Do you and your sister watch movies at home?

➡ Yes, ________.

10 Does Mr. Jones want a new hat?

➡ Yes, ________.

★ exercise 운동하다
★ listen to ~를 듣다
★ small 작은
★ foot 발 (복수형 : feet)
★ study 공부하다
★ together 함께
★ train 기차
★ grandparents 조부모님
★ new 새로운
★ hat 모자

먼저 질문에 대한 대답이 긍정인지 부정인지 확인하고 주어를 알맞은 대명사로 바꿔야 해.

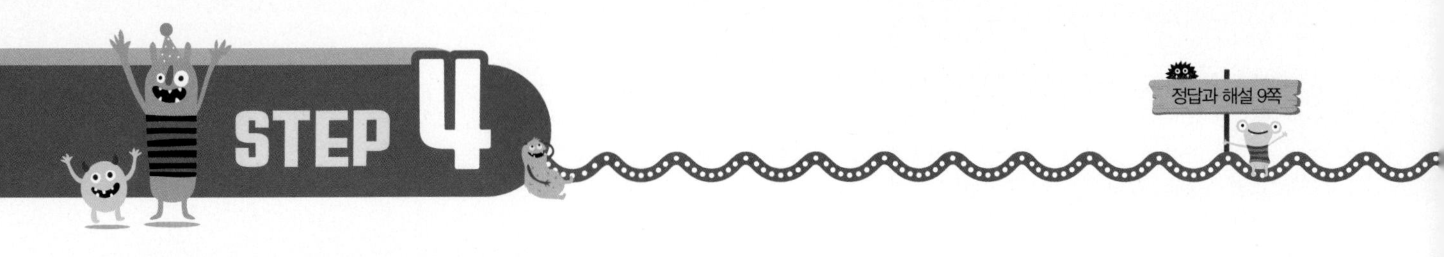

다음 질문에 대한 긍정과 부정의 대답을 모두 쓰세요.

1 Do they want dinner now?

긍정 ➡ Yes, they do. 부정 ➡ No, they don't.

2 Does your sister like bears?

긍정 ➡ ______ 부정 ➡ ______

3 Do you and Henry love soccer?

긍정 ➡ ______ 부정 ➡ ______

4 Does she enjoy swimming?

긍정 ➡ ______ 부정 ➡ ______

5 Do the children eat hamburgers?

긍정 ➡ ______ 부정 ➡ ______

6 Does he remember my birthday?

긍정 ➡ ______ 부정 ➡ ______

7 Do Eva and Toby like pizza?

긍정 ➡ ______ 부정 ➡ ______

8 Do I sing well?

긍정 ➡ ______ 부정 ➡ ______

9 Do you know my name?

긍정 ➡ ______ 부정 ➡ ______

10 Does Ms. Green teach art?

긍정 ➡ ______ 부정 ➡ ______

★ dinner 저녁
★ bear 곰
★ soccer 축구
★ enjoy 즐기다
★ child 어린이
★ hamburger 햄버거
★ remember 기억하다
★ birthday 생일
★ know 알다
★ name 이름
★ teach 가르치다
★ art 미술, 예술

Do(es)로 시작하는 의문문은 상황에 따라서 Yes나 No 둘 다로 대답할 수 있어야 해.

Unit 3

실전 테스트

[1~2] 다음 빈칸에 들어갈 말로 알맞은 것을 고르세요.

1

_________ you need an eraser?

① Am　② Is
③ Are　④ Do
⑤ Does

★ eraser 지우개

2

_________ she go to middle school?

① Am　② Is
③ Are　④ Do
⑤ Does

★ middle school 중학교

[3~4] 다음 문장을 의문문으로 바르게 바꾼 것을 고르세요.

3

They listen to the radio.

① Is they listen to the radio?
② Do they listen to the radio?
③ Are they listen to the radio?
④ Do they listens to the radio?
⑤ Does they listen to the radio?

★ listen to ~을 듣다
★ radio 라디오

4

She has a smartphone.

① Is she have a smartphone?
② Are she has a smartphone?
③ Do she have a smartphone?
④ Does she has a smartphone?
⑤ Does she have a smartphone?

★ smartphone 스마트폰

5 다음 대화의 빈칸에 들어갈 말로 알맞은 것을 고르세요.

A Do you know my phone number?
B No, I ________.

① do ② don't
③ am not ④ doesn't
⑤ aren't

★ phone number 전화번호

6 다음 의문문에 알맞은 대답을 고르세요.

Does your brother learn Korean?

① Yes, I do. ② Yes, he do.
③ Yes, he is. ④ Yes, he does.
⑤ Yes, she does.

★ learn 배우다
★ Korean 한국어

7 다음 중 짝지어진 대화가 어색한 것을 고르세요.

① A Do you like animals?
  B Yes, I do.
② A Does Kate get up early?
  B No, she isn't.
③ A Does the bank open on Sundays?
  B No, it doesn't.
④ A Does he play the violin?
  B Yes, he does.
⑤ A Do you and your sister travel every year?
  B Yes, we do.

★ animal 동물
★ get up 일어나다
★ early 일찍
★ bank 은행
★ travel 여행하다
★ every year 매년

8 다음 중 잘못된 문장을 고르세요.

① Do you like dogs?
② Do they go camping?
③ Does the train stop here?
④ Does he sends e-mails to you?
⑤ Does your brother use a computer?

★ go camping 캠핑을 가다
★ train 기차
★ send 보내다

서술형

[9~12] 다음 우리말과 뜻이 같도록 빈칸에 알맞은 말을 쓰세요.

9

A 너는 거미를 좋아하니?
B 아니, 그렇지 않아.

➡ A ________ you like spiders?

B No, I ________.

★ spider 거미

10

A Rachel은 바구니 하나를 가지고 있니?
B 응, 그래.

➡ A ________ Rachel have a basket?

B Yes, she ________.

★ basket 바구니

11

A 너의 개는 과일을 먹니?
B 아니, 그렇지 않아.

➡ A ________ your dog eat fruits?

B No, it ________.

★ fruit 과일

12

A 너희 부모님은 신문을 읽으시니?
B 응, 그래.

➡ A ________ your parents read a newspaper?

B Yes, they ________.

★ newspaper 신문

현재진행형

Lesson 1 현재진행형의 의미와 형태

Lesson 2 현재진행형의 부정문과 의문문

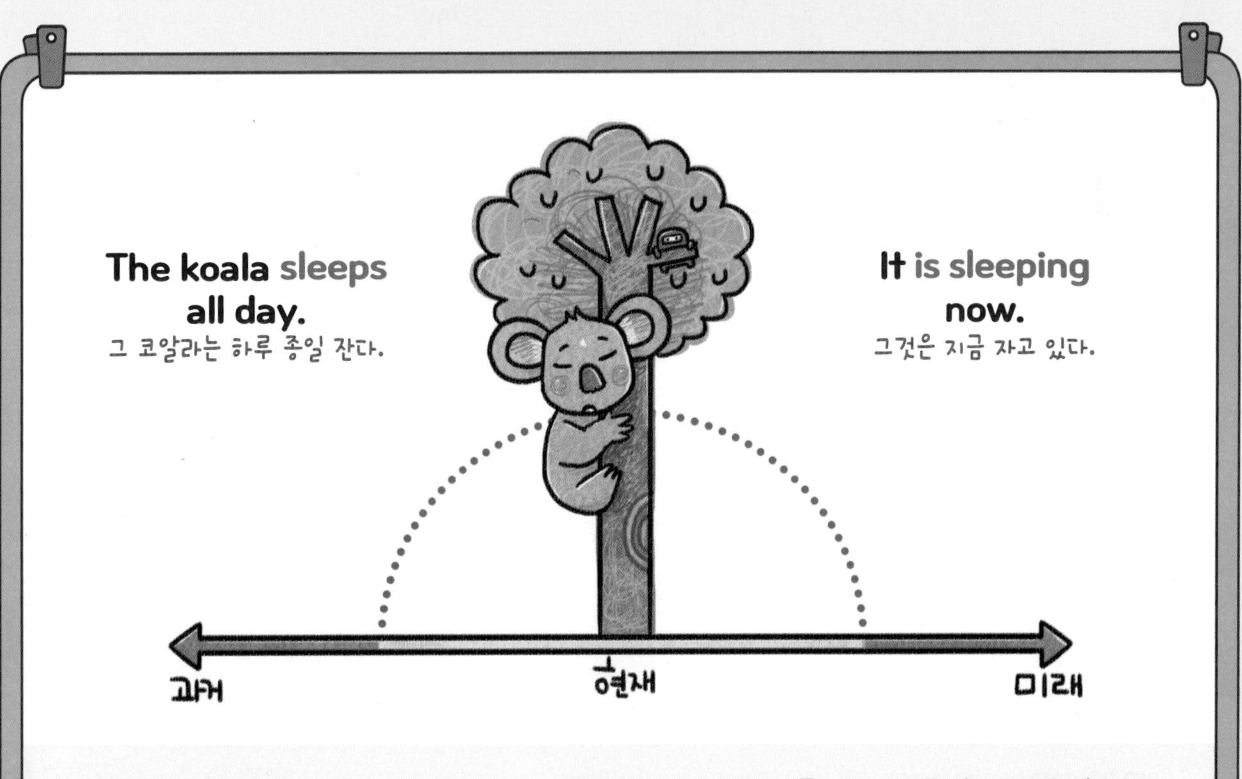

상대방이 지금 뭐하고 있는지 궁금할 때는 '지금 뭐하고 있니?'라고 물어보고, 지금 말하고 있는 순간에 무엇을 하고 있는지 말할 때는 '(지금) ~하고 있다'라고 말해요. 이렇게 지금 진행 중인 일을 물어보고 답할 때 현재진행형을 써요.

현재진행형의 의미와 형태

1 현재진행형의 의미와 형태

- '~하고 있다, 하는 중이다'라는 뜻으로, 말하고 있는 순간에 하고 있는 일을 나타내요.
- 현재진행형은 「be동사의 현재형(am / are / is) + 동사원형 -ing」 형태로 써요.

I **am reading** a book. 나는 책을 읽고 있다.

The phone **is ringing** now. 전화기가 지금 울리고 있다.

My parents **are sleeping** now. 나의 부모님은 지금 주무시고 계신다.

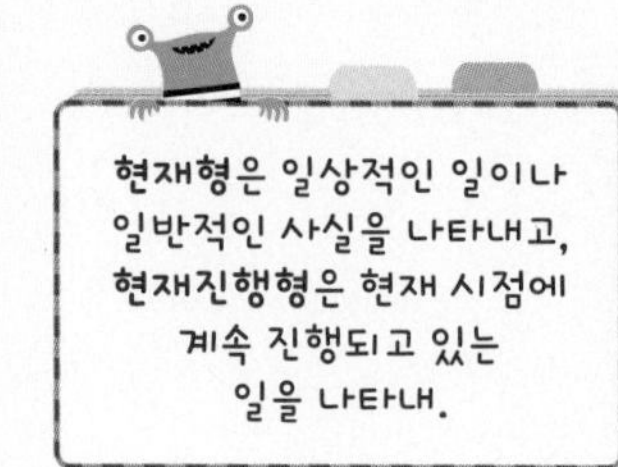

2 동사원형 -ing 만드는 법

대부분의 동사	동사원형 + ing	sleep → sleep**ing** enjoy → enjoy**ing**	go → go**ing** say → say**ing**
-e로 끝나는 동사	e를 빼고 + ing	take → tak**ing** write → writ**ing**	have → hav**ing** come → com**ing**
-ie로 끝나는 동사	ie를 y로 바꾸고 + ing	tie → t**ying**	lie → l**ying**
「단모음 + 단자음」으로 끝나는 동사	자음을 한 번 더 쓰고 + ing	stop → stop**ping** cut → cut**ting** swim → swim**ming**	run → run**ning** get → get**ting** sit → sit**ting**

I **am waiting** for the bus. 나는 버스를 기다리고 있다.

Lisa **is writing** an e-mail now. Lisa는 지금 이메일을 쓰고 있다.

My dad **is lying** on the sofa. 나의 아빠는 소파에 누워 계신다.

The kids **are swimming** in the pool. 그 아이들은 수영장에서 수영하고 있다.

Tip 「단모음 + 단자음」의 경우에 w, x, y로 끝나는 동사는 마지막 자음을 한 번 더 쓰지 않아요.

snow → snowing　　fix → fixing　　say → saying

Tip have, know, want, like처럼 소유나 상태, 감정을 나타내는 동사는 진행형으로 쓸 수 없어요.

I **am having** two puppies. (×)

→ I **have** two puppies. (○) 나는 강아지 두 마리가 있다.

have가 '먹다'라는 뜻일
때는 진행형으로 쓸 수 있어.

A 다음 동사의 -ing형을 쓰세요.

동사	-ing형	동사	-ing형
come	coming	write	
sleep		stop	
swim		enjoy	
tie		get	
say		take	
run		lie	

★ sleep 자다
★ swim 수영하다
★ tie 묶다
★ say 말하다
★ stop 멈추다
★ lie 눕다, 거짓말하다
★ sit 앉다
★ singer 가수
★ park 공원
★ draw 그리다
★ picture 그림

Unit 4

B 다음 주어진 말 중에서 알맞은 것을 고르세요.

1 He [is siting / is sitting] on the bench.

2 Janet [likes / is liking] the singer.

3 We [going / are going] to the park.

4 Nancy [is wanting / wants] new boots.

5 I [have / am having] a computer.

6 You [are drawing / is drawing] a picture.

7 Brian [is knowing / knows] her sister.

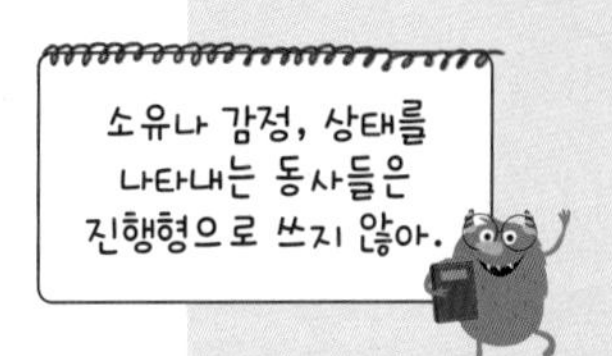

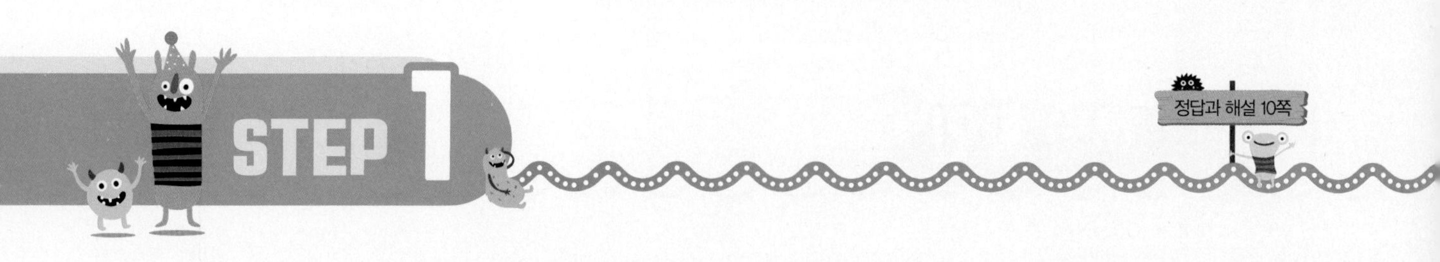

다음 우리말과 뜻이 같도록 주어진 단어를 빈칸에 알맞은 형태로 쓰세요.

1 나의 엄마는 신발 끈을 묶고 계신다. tie
➡ My mom [is tying] her shoelaces.

2 그녀는 침대에 누워 있다. lie
➡ She [ ] on the bed.

3 너는 점심을 먹고 있다. have
➡ You [ ] lunch.

4 그는 수학 공부를 하고 있다. study
➡ He [ ] math.

5 나는 우유를 마시고 있다. drink
➡ I [ ] milk.

6 Bruce는 편지를 쓰고 있다. write
➡ Bruce [ ] a letter.

7 Olivia는 머리를 빗고 있다. brush
➡ Olivia [ ] her hair.

8 사람들은 해변에 서 있다. stand
➡ People [ ] on the beach.

9 한 여자가 공원에서 달리고 있다. run
➡ A woman [ ] at the park.

10 나의 친구들은 수영장에서 수영을 하고 있다. swim
➡ My friends [ ] in the pool.

★ tie 묶다
★ shoelace 신발 끈
★ lie 눕다
★ math 수학
★ write 쓰다
★ letter 편지
★ brush 머리를 빗다
★ hair 머리카락
★ stand 서 있다
★ beach 해변
★ park 공원
★ pool 수영장

have가 '먹다'의 뜻으로 쓰이면 현재진행형으로 쓸 수 있어.

다음 밑줄 친 부분을 바르게 고쳐 현재진행형 문장을 다시 쓰세요.

1 Laura is ridein a horse now.

➡ Laura is riding a horse now.

2 They is laughing now.

➡

3 He are wearing a helmet.

➡

4 The babies smiling now.

➡

5 A helicopter are flying in the sky.

➡

6 We are takeing pictures now.

➡

7 I going home now.

➡

8 Bill is runing very fast.

➡

9 My father washing the dishes.

➡

10 Peter and Jason is cleaning their room.

➡

- ★ ride 타다
- ★ laugh 웃다
- ★ wear 쓰다, 입다
- ★ helmet 헬멧
- ★ smile 미소 짓다
- ★ helicopter 헬리콥터
- ★ fly 날다
- ★ in the sky 하늘에서
- ★ fast 빨리
- ★ wash the dishes 설거지하다
- ★ clean 청소하다

현재진행형은 지금 하고 있는 일을 나타내기 때문에 now(지금)와 함께 쓰는 경우가 많아.

Unit 4

다음 문장을 현재진행형으로 바꿔 쓰세요. (줄임형으로 쓰지 마세요.)

1 My father fixes his car.

➡ My father is fixing his car.

2 I cut the paper now.

➡

3 You learn chess.

➡

4 My uncle plays the guitar.

➡

5 We have dinner.

➡

6 Kate draws a picture now.

➡

7 Her mother bakes a cake now.

➡

8 They swim in the river.

➡

9 Tom and I watch a movie at home.

➡

10 The teacher answers the question.

➡

현재진행형에서
be동사는 주어에 따라
am이나 are, is를 써야 해.

- ★ fix 고치다
- ★ cut 자르다
- ★ learn 배우다
- ★ dinner 저녁 식사
- ★ draw 그리다
- ★ bake (음식을) 굽다
- ★ river 강
- ★ teacher 선생님
- ★ answer 대답하다
- ★ question 질문

다음 우리말과 뜻이 같도록 주어진 단어를 사용하여 현재진행형 문장을 쓰세요. (필요하면 단어의 형태를 바꾸고, 줄임형으로 쓰지 마세요.)

1 그는 책상에 앉아 있다. sit / at the desk

➡ He is sitting at the desk.

2 우리는 쿠키를 먹고 있다. eat / cookies

➡

3 Sally는 지도를 보고 있다. look / at a map

➡

4 나는 지금 텔레비전을 보고 있다. watch / television

➡

5 너는 여행을 계획하고 있다. plan / a trip

➡

6 나는 소파에 누워 있다. lie / on the sofa

➡

7 그녀는 택시를 운전하고 있다. drive / a taxi

➡

8 Eddy는 지금 전화 통화를 하고 있다. talk / on the phone

➡

9 James와 나는 배드민턴을 치고 있다. play / badminton

➡

10 그들은 피아노를 연습하고 있다. practice / the piano

➡

★ sit 앉다
★ at the desk 책상에
★ cookie 쿠키
★ map 지도
★ plan 계획하다
★ trip 여행
★ lie 눕다
★ talk on the phone 전화 통화를 하다
★ badminton 배드민턴
★ practice 연습하다

현재진행형은 「be동사의 현재형 + 동사원형 -ing」로 써.

Unit 4

Lesson 2 현재진행형의 부정문과 의문문

1 현재진행형의 부정문 주어 + be동사의 현재형 + not + 동사원형 -ing

be동사 뒤에 not을 붙여서 부정문을 만들어요.

부정문	주어 + **am / are / is** + **not** + **동사원형 -ing**	~하고 있지 않다

I **am not listening** to music. 나는 음악을 듣고 있지 않다.

You **are not sleeping**. 너는 자고 있지 않다.

It **is not raining** now. 지금 비가 오고 있지 않다.

Tip 「주어(대명사) + be동사」 또는 「be동사 + not」은 줄여 쓸 수 있어요.

I am not	= I'm not	You are not	= You're not / You aren't
He is not	= He's not / He isn't	They are not	= They're not / They aren't

I'm(= I am) not playing computer games. 나는 컴퓨터 게임을 하고 있지 않다.

He **isn't(= is not)** drawing a picture. 그는 그림을 그리고 있지 않다.

They **aren't(= are not)** swimming in the sea. 그들은 바다에서 수영하고 있지 않다.

2 현재진행형의 의문문 be동사의 현재형 + 주어 + 동사원형 -ing ~?

• 현재진행형 문장에서 주어와 be동사의 위치를 바꾸고 문장의 마지막에 물음표를 써요.

• 의문문의 주어가 you일 때는 I(단수)나 we(복수)로 대답하고, 3인칭 단수이면 he / she / it으로, 복수이면 they로 대답해요.

의문문	**Am / Are / Is** + 주어 + **동사원형 -ing** ~?	~하고 있니?
대답	Yes, 주어(대명사) + be동사의 현재형. No, 주어(대명사) + be동사의 현재형 + not.	응, 그래. 아니, 그렇지 않아.

A **Are** you **doing** your homework?
너는 숙제를 하고 있니?

B Yes, I **am**. / No, I'**m not**.
응, 그래. / 아니, 그렇지 않아.

A **Is** Sally **having** breakfast?
Sally는 아침을 먹고 있니?

B Yes, she **is**. / No, she **isn't**.
응, 그래. / 아니, 그렇지 않아.

A **Are** the students **going** to school?
그 학생들은 학교에 가고 있니?

B Yes, they **are**. / No, they **aren't**.
응, 그래. / 아니, 그렇지 않아.

A 다음 현재진행형의 부정문에서 알맞은 것을 고르세요.

1 I (am not / don't) reading a book now.

2 She (cleaning not / isn't cleaning) the house.

3 They (aren't playing / not playing) golf now.

4 Kevin (not is / isn't) listening to music.

5 He (is not yelling / are not yelling) now.

6 Susie (doesn't talking / isn't talking) to her mom.

★ read 읽다
★ golf 골프
★ listen to ~을 듣다
★ yell 소리치다
★ talk 이야기하다
★ cry 울다
★ cook 요리하다
★ doll 인형
★ climb 오르다, 올라가다

현재진행형의 부정문은 be동사의 현재형 뒤에 not을 붙여.

Unit 4

B 다음 현재진행형의 의문문에서 알맞은 것을 고르세요.

1 A (Is / Are) Oliver crying?
B Yes, he is.

2 A (Is / Are) the dogs sleeping now?
B No, they aren't.

3 A (Is / Does) your father cooking?
B No, he isn't.

4 A Are you eating pizza now?
B Yes, (you are / I am).

5 A Is she making a doll?
B No, (she is / she isn't).

6 A Are the monkeys climbing the trees?
B Yes, (they are / they do).

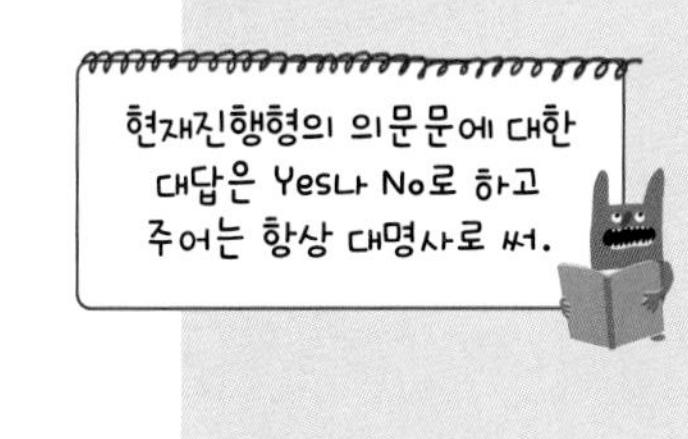

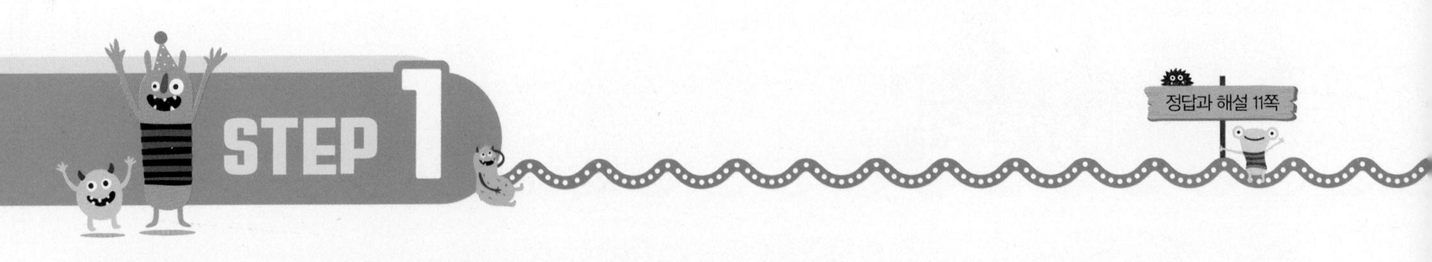

다음 우리말과 뜻이 같도록 주어진 단어를 사용하여 문장을 완성하세요. (필요하면 단어의 형태를 바꾸세요.)

1 민선이는 그녀의 친구를 기다리고 있지 않다. wait

➡ Minsun [is not[isn't] waiting] for her friend.

2 Leo는 침대에 앉아 있지 않다. sit

➡ Leo [ ] on the bed.

3 그들은 장갑을 끼고 있지 않다. wear

➡ They [ ] gloves.

4 그 아이들은 공원에 가고 있지 않다. go

➡ The children [ ] to the park.

5 그는 편지를 쓰고 있지 않다. write

➡ He [ ] a letter.

6 나는 빨리 달리고 있지 않다. run

➡ I [ ] fast.

7 그녀는 지금 꽃을 심고 있지 않다. plant

➡ She [ ] flowers now.

8 그 소년은 길을 건너고 있지 않다. cross

➡ The boy [ ] the road.

9 너는 너의 엄마를 돕고 있지 않다. help

➡ You [ ] your mom.

10 Steven과 Eddy는 수학을 공부하고 있지 않다. study

➡ Steven and Eddy [ ] math.

- ★ wait for ~를 기다리다
- ★ gloves 장갑
- ★ park 공원
- ★ write 쓰다
- ★ letter 편지
- ★ fast 빨리
- ★ plant (식물을) 심다
- ★ cross 건너다
- ★ road 길
- ★ help 돕다, 도와주다
- ★ math 수학

현재진행형의 부정문은 be동사의 현재형 뒤에 not을 붙여.

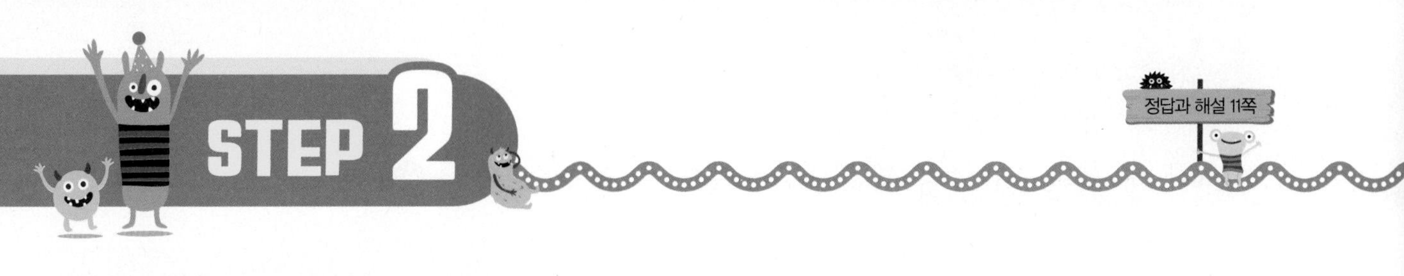

다음 밑줄 친 부분을 바르게 고쳐 현재진행형 문장을 다시 쓰세요.

1 Are your son crying?
➡ Is your son crying?

2 Is she sleep on the sofa?
➡

3 Are he carrying a box?
➡

4 Is I going straight?
➡

5 Is Tommy come home?
➡

6 Am she washing her hair?
➡

7 Is they eating sandwiches?
➡

8 Are you use my computer?
➡

9 Is doing he his homework now?
➡

10 Are James and Steve look for me?
➡

★ carry 나르다
★ box 상자
★ straight 똑바로
★ wash one's hair 머리를 감다
★ spaghetti 스파게티
★ use 사용하다
★ homework 숙제
★ look for ~을 찾다

현재진행형의 의문문은 「be동사의 현재형 + 주어 + 동사원형-ing ~?」로 써.

Unit 4

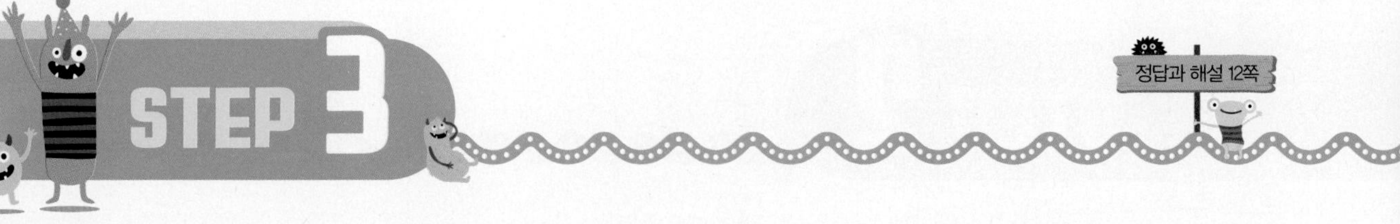

다음 문장을 지시에 맞는 현재진행형 문장으로 바꿔 쓰세요.

1 The boys are playing hockey. 부정문

➡ The boys are not[aren't] playing hockey.

2 The rabbits are eating carrots. 의문문

➡

3 My mother is cooking spaghetti. 의문문

➡

4 I am brushing my teeth. 부정문

➡

5 Jenny is meeting her friends. 의문문

➡

6 The baby is smiling now. 의문문

➡

7 Ted is lying on the floor. 부정문

➡

8 You are surfing the Internet. 의문문

➡

9 They are coming home now. 부정문

➡

10 Brian is singing a song. 부정문

➡

★ hockey 하키
★ rabbit 토끼
★ carrot 당근
★ spaghetti 스파게티
★ brush one's teeth 양치하다
★ meet 만나다
★ smile 미소 짓다
★ lie 눕다
★ floor 바닥
★ surf the Internet 인터넷을 검색하다

am not은 줄여 쓸 수 없어. 하지만, I am은 I'm으로 줄여 쓰는 것이 가능해.

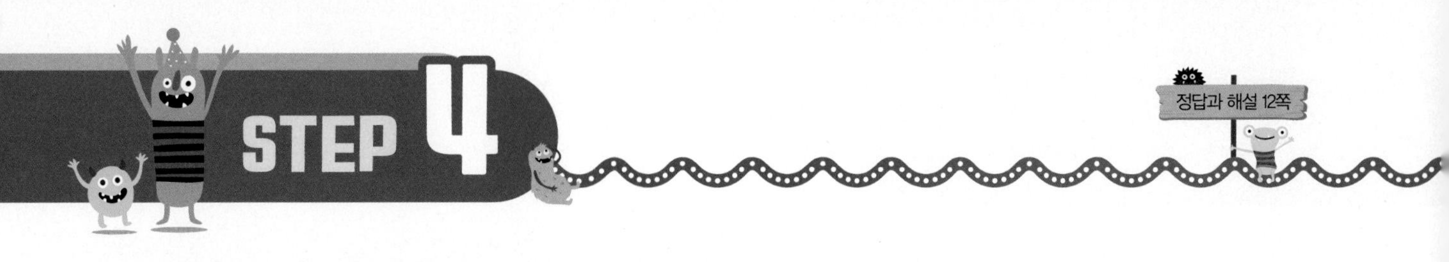

다음 우리말과 뜻이 같도록 주어진 단어를 사용하여 문장을 쓰세요. (필요하면 단어의 형태를 바꾸세요.)

1 너는 음악을 듣고 있니? listen / to music

➡ Are you listening to music?

2 Paul은 세수를 하고 있니? wash / his face

➡

3 나는 내 신발 끈을 묶고 있지 않다. tie / my shoelaces

➡

4 그들은 영어를 공부하고 있니? study / English

➡

5 Megan은 자전거를 타고 있지 않다. ride / a bicycle

➡

6 그녀는 바지를 입고 있니? wear / pants

➡

7 그들은 시장에 가고 있지 않다. go / to the market

➡

8 Terry는 치즈를 자르고 있니? cut / cheese

➡

9 우리는 교실을 청소하고 있지 않다. clean / the classroom

➡

10 Becky는 운동장에서 달리고 있지 않다. run / in the playground

➡

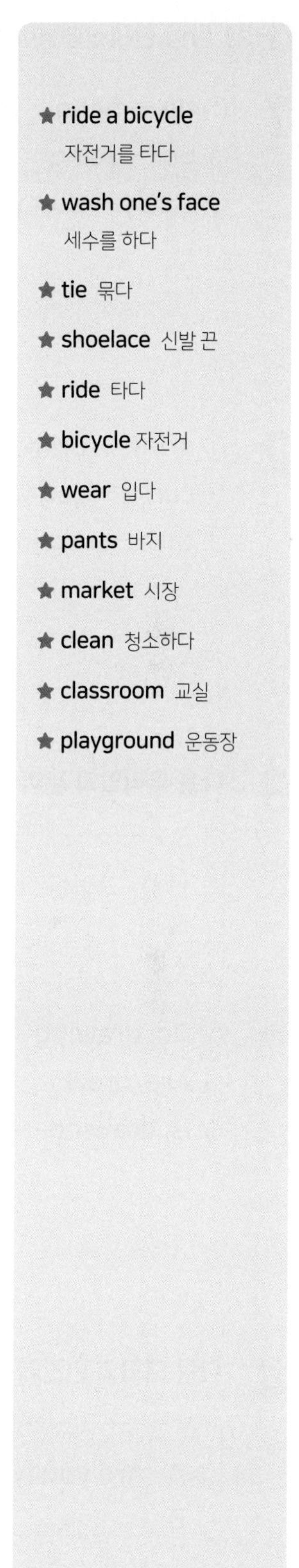

★ ride a bicycle 자전거를 타다
★ wash one's face 세수를 하다
★ tie 묶다
★ shoelace 신발 끈
★ ride 타다
★ bicycle 자전거
★ wear 입다
★ pants 바지
★ market 시장
★ clean 청소하다
★ classroom 교실
★ playground 운동장

실전 테스트

[1~2] 다음 현재진행형이 바르게 짝지어지지 않은 것을 고르세요.

1
① tie — tying ② plan — planing
③ go — going ④ come — coming
⑤ study — studying

★ tie 묶다
★ plan 계획하다

2
① drink — drinking ② die — dying
③ carry — carrying ④ swim — swimming
⑤ take — takeing

★ die 죽다
★ carry 나르다, 운반하다

3 **다음 우리말과 뜻이 같도록 빈칸에 들어갈 알맞은 말을 고르세요.**

• 너는 그림을 그리고 있니?
→ ________ you ________ a picture?

① Do, drawing ② Do, draws
③ Are, draw ④ Are, drawing
⑤ Is, drawing

★ draw 그리다

4 **다음 대화의 빈칸에 들어갈 알맞은 대답을 고르세요.**

A Are you lying on the sofa?
B ____________________

① Yes, I am. ② Yes, you are.
③ Yes, I do. ④ Yes, I'm not.
⑤ Yes, you do.

★ lie 눕다

[5~6] 다음 빈칸에 들어갈 말로 알맞은 것을 고르세요.

5

Lisa ________ to music now.

① listen
② is listen
③ listening
④ are listening
⑤ is listening

★ listen to ~을 듣다

6

Cathy and Peter ________ playing badminton.

① is not
② am not
③ are not
④ do not
⑤ does not

★ badminton 배드민턴

Unit 4

7 **다음 중 잘못된 문장을 고르세요.**

① We are enjoying this game.
② The baby isn't crying now.
③ My brother is studying math.
④ Tommy is having three dogs.
⑤ We are sitting on the bench.

★ enjoy 즐기다
★ game 게임, 경기
★ math 수학

8 **다음 중 짝지어진 대화가 어색한 것을 고르세요.**

① A Are you brushing your hair?
B Yes, I am.
② A Is Bob buying a pencil?
B No, he isn't.
③ A Is your mom baking bread?
B No, she is.
④ A Is the monkey eating bananas?
B Yes, it is.
⑤ A Are you and your sister singing?
B No, we aren't.

★ brush one's hair 머리를 빗다
★ bake 굽다

서술형

[9~12] 다음 우리말과 뜻이 같도록 주어진 단어를 사용하여 문장을 완성하세요. (필요하면 단어의 형태를 바꾸세요.)

9

Abby는 숙제를 하고 있다. do

➡ Abby ______ her homework.

★ do one's homework 숙제하다

10

그는 지금 꽃을 사고 있지 않다. buy

➡ He ______ flowers now.

11

네 강아지는 바닥에 누워 있니? lie

➡ ______ your dog ______ on the floor?

★ lie 눕다
★ floor 바닥

12

그들은 바다에서 수영하고 있니? swim

➡ ______ they ______ in the sea?

★ sea 바다

형용사

Lesson 1 형용사의 종류

Lesson 2 형용사의 쓰임

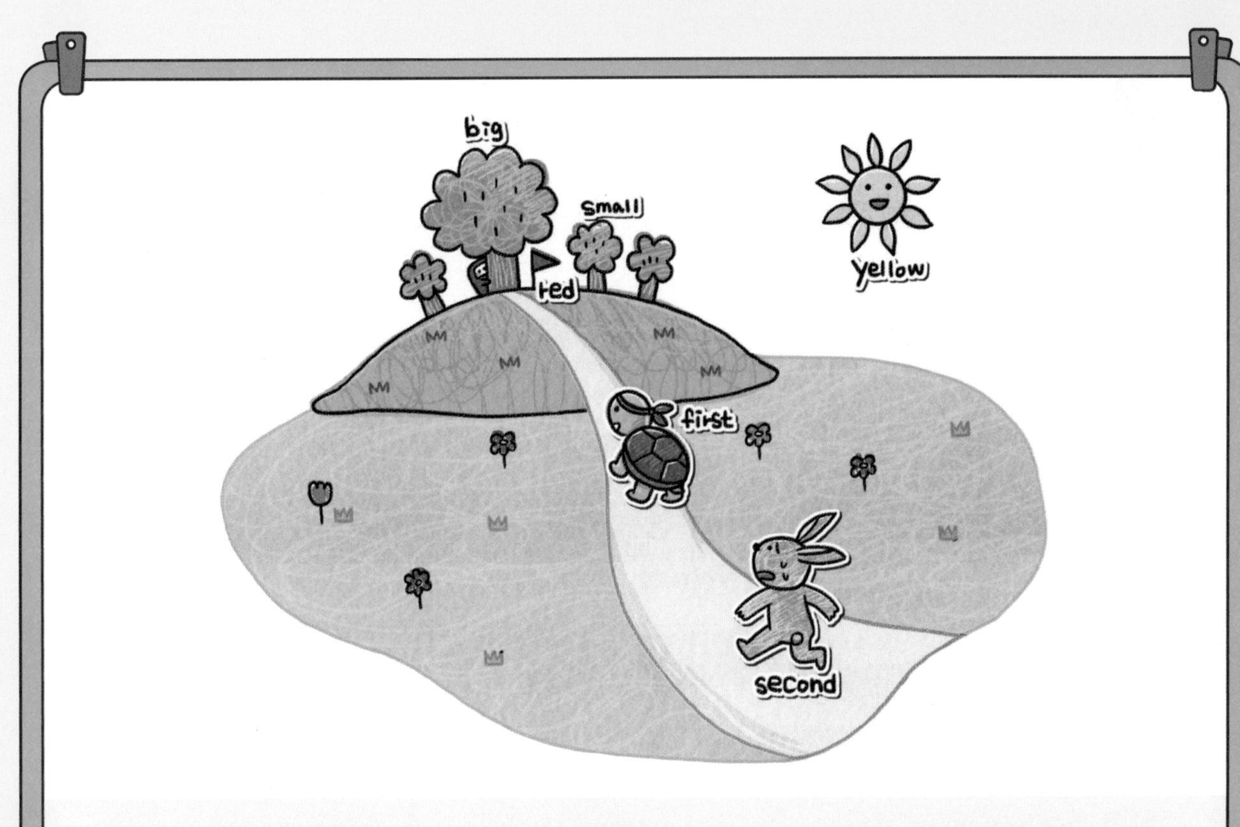

형용사는 사람이나 사물의 성질, 상태, 모양, 색깔, 크기 등을 나타내는 말이에요. 형용사는 보통 '~한' 이라는 뜻을 가지고 있고, 명사를 꾸며주거나 주어를 설명하는 역할을 해요.

형용사의 종류

1 여러 가지 형용사

형용사는 명사 앞에서 명사를 꾸며주거나 be동사 뒤에서 주어를 설명해주는 말이에요.

색깔	red(빨간), blue(파란), black(검은), white(흰), yellow(노란), green(녹색의), pink(분홍색의)
날씨	sunny(해가 비치는), rainy(비가 오는), cloudy(흐린), windy(바람이 부는), snowy(눈이 내리는), warm(따뜻한), hot(더운), cool(시원한), cold(추운)
크기 / 모양	big(큰), small(작은), tall(키가 큰), short(키가 작은, 짧은), long(긴)
성질 / 상태	good(좋은), bad(나쁜), new(새로운), old(오래된, 늙은), young(젊은), fast(빠른), slow(느린), nice(멋진), pretty(예쁜), heavy(무거운), handsome(잘생긴), beautiful(아름다운)

His cap is **blue.** 그의 모자는 파란색이다.

We like **sunny** days. 우리는 화창한 날을 좋아한다.

I need a **big** bag. 나는 큰 가방이 필요하다.

Kate is **pretty.** Kate는 예쁘다.

2 수를 나타내는 형용사 - 기수와 서수

• 기수는 하나, 둘, 셋 등으로 사람이나 사물의 수를 세거나 나이, 전화번호 등을 말할 때 써요.

• 서수는 첫째, 둘째, 셋째 등으로 순서를 세거나 학년, 층수 등을 말할 때 써요.

	기수	서수		기수	서수		기수	서수		기수	서수
1	one	first	6	six	sixth	11	eleven	eleventh	16	sixteen	sixteenth
2	two	second	7	seven	seventh	12	twelve	twelfth	17	seventeen	seventeenth
3	three	third	8	eight	eighth	13	thirteen	thirteenth	18	eighteen	eighteenth
4	four	fourth	9	nine	ninth	14	fourteen	fourteenth	19	nineteen	nineteenth
5	five	fifth	10	ten	tenth	15	fifteen	fifteenth	20	twenty	twentieth

I have **two** books. 나는 두 권의 책을 가지고 있다.

We live on the **fifth** floor. 우리는 5층에 산다.

서수 앞에는 항상 the를
붙이고 뒤에는 단수명사를 써.

Tip 기수 뒤에 명사가 올 때 one 뒤에는 단수명사, two부터는 뒤에 복수명사가 와요.

one book / two books / three books

A 다음 문장에서 형용사를 찾아 동그라미 하세요.

1 Susan is a beautiful girl.

2 That dog is smart.

3 Chris has a blue truck.

4 The boxes are heavy.

5 He is a tall boy.

6 They don't like rainy days.

7 Jimmy and Chris are kind.

- ★ smart 영리한
- ★ heavy 무거운
- ★ rainy 비가 오는
- ★ live 살다
- ★ floor 층
- ★ lion 사자
- ★ leg 다리
- ★ grade 학년
- ★ birthday 생일
- ★ egg 달걀
- ★ son 아들
- ★ family 가족

형용사는 명사의 앞이나 be동사 뒤에 쓰여서 명사를 꾸며주거나 주어에 대해 설명해줘.

Unit 5

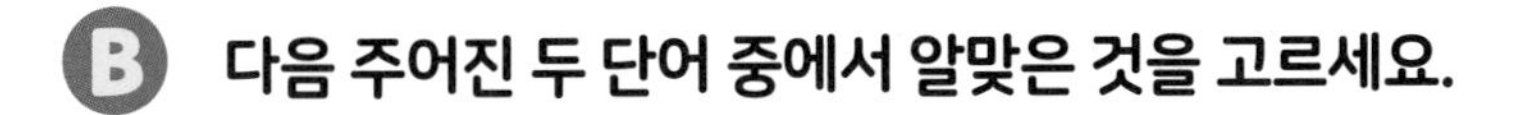
B 다음 주어진 두 단어 중에서 알맞은 것을 고르세요.

1 I have three third brothers.

2 We live on the seven seventh floor.

3 Lions have four fourth legs.

4 My brother is in the five fifth grade.

5 Today is her ten tenth birthday.

6 My mother needs six sixth eggs.

7 I am the two second son in my family.

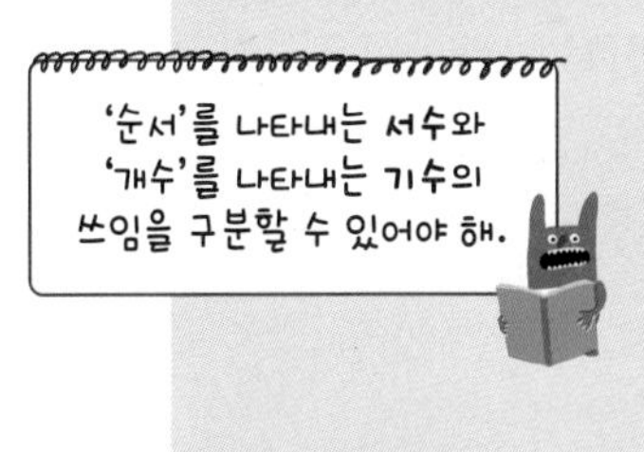

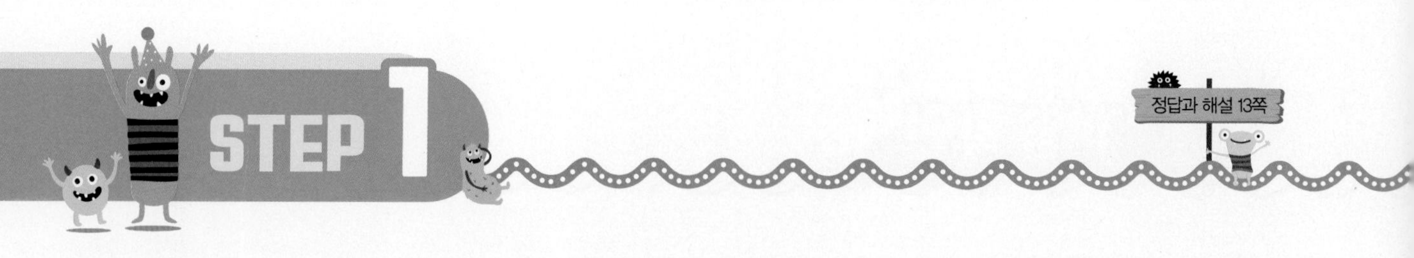

다음 우리말과 뜻이 같도록 <보기>에서 알맞은 말을 골라 빈칸에 쓰세요.

보기

young long small black
cold old heavy green

1 나의 삼촌은 젊다.

➡ My uncle is young.

2 이것은 무거운 책이다.

➡ This is a ______ book.

3 나의 고양이는 검은색 털을 가지고 있다.

➡ My cat has ______ hair.

4 그는 오래된 컴퓨터를 사용한다.

➡ He uses an ______ computer.

5 John은 추운 날을 싫어한다.

➡ John hates ______ days.

6 정하는 작은 손을 가졌다.

➡ Jungha has ______ hands.

7 그녀는 초록색 자전거를 타고 있다.

➡ She is riding a ______ bicycle.

8 Fiona는 긴 리본을 가지고 있다.

➡ Fiona has a ______ ribbon.

★ uncle 삼촌
★ hair 털
★ use 사용하다
★ hate 싫어하다
★ hand 손
★ ride 타다
★ bicycle 자전거
★ ribbon 리본

형용사의 의미를 알면 사람과 사물의 특징을 알 수 있어.

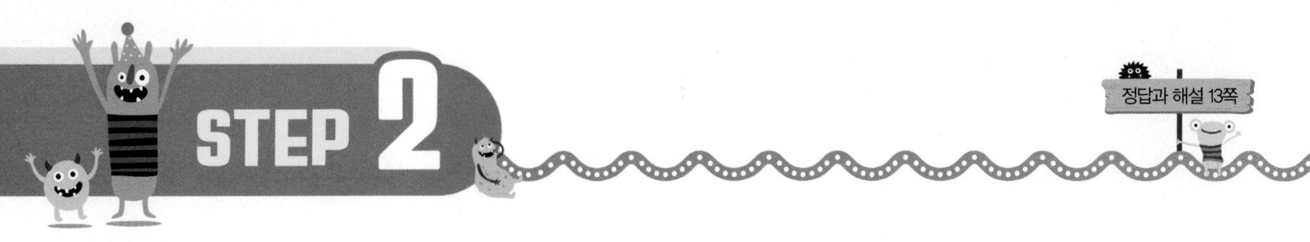

다음 밑줄 친 부분을 바르게 고쳐 문장을 다시 쓰세요.

1 I have fifth oranges.

➡ I have five oranges.

2 Tomorrow is my eleven birthday.

➡

3 The teacher needs seventh pens.

➡

4 Jaewon's house is on the one floor.

➡

5 We have sixth cousins.

➡

6 Patrick and Tim are in the four grade.

➡

7 Today is our threeth wedding anniversary.

➡

8 My sister is twelfth years old.

➡

9 The store is on the fourteen floor.

➡

10 Ms. Jessica teaches the secondth grade.

➡

★ tomorrow 내일
★ birthday 생일
★ need 필요하다
★ floor 층
★ cousin 사촌
★ grade 학년
★ wedding anniversary 결혼기념일
★ old 나이가 ~인
★ store 가게
★ teach 가르치다

개수를 세거나 나이를 말할 때는 기수를 쓰고, 순서를 세거나 층, 학년을 말할 때는 서수를 써.

Unit 5

STEP 3

정답과 해설 14쪽

다음 우리말과 뜻이 같도록 주어진 단어를 배열하세요.

1 오늘은 따뜻한 날이다.

warm / is / today / a / day

➡ Today is a warm day.

2 이 채소들은 신선하다.

vegetables / fresh / are / these

➡

3 이것은 오래된 책이다.

book / this / is / old / an

➡

4 내일은 너의 10번째 생일이다.

is / tomorrow / birthday / your / tenth

➡

5 그 도서관은 매우 크다.

library / very big / is / the

➡

6 Julie는 12권의 책을 산다.

buys / Julie / twelve / books

➡

7 Rick은 빨간색 양말을 신는다.

wears / Rick / socks / red

➡

8 내 사무실은 15층에 있다.

is on / my / fifteenth / office / the / floor

➡

★ warm 따뜻한
★ today 오늘
★ vegetable 채소
★ fresh 신선한
★ old 오래된
★ library 도서관
★ wear 신다, 착용하다
★ socks 양말
★ red 빨간색의
★ office 사무실

서수 앞에는 항상 the를 써야 하지만, 생일이나 기념일을 말할 때는 소유격을 써.

형용사는 명사 앞에서 명사를 꾸며주거나 be동사 뒤에서 주어를 설명해주는 역할을 해.

다음 우리말과 뜻이 같도록 주어진 단어를 사용하여 문장을 쓰세요. (수는 영어로 쓰세요.)

1 Tim은 일곱 번째 선수이다. player

➡ Tim is the seventh player.

2 이 기차는 느리다. train slow

➡

3 그의 머리는 짧다. hair short

➡

4 그들은 햄스터 13마리를 가지고 있다. have hamsters

➡

5 그것들은 갈색 곰이다. brown bears

➡

6 우리는 6학년이다. in grade

➡

7 나는 9개의 나라를 방문한다. visit countries

➡

8 그 배우들은 잘생겼다. the actors handsome

➡

9 Christine은 17마리의 물고기를 가지고 있다. has fish

➡

10 나의 교실은 5층에 있다. classroom on floor

➡

★ player 선수
★ train 기차
★ slow 느린
★ short 짧은
★ hamster 햄스터
★ bear 곰
★ grade 학년
★ visit 방문하다
★ country 나라
★ actor 배우
★ handsome 잘생긴
★ fish 물고기
★ classroom 교실

'학년(grade)'을 나타낼 때는 전치사 in을 써서 표현하고 '층(floor)'을 나타낼 때는 전치사 on을 써서 표현해.

Unit 5

형용사의 쓰임

1 명사를 꾸며주는 형용사

'~한'이라는 뜻으로 명사 앞에서 명사를 꾸며줘요.

명사를 꾸며주는 경우	관사 + 형용사 + 명사	a **nice** boy(한 멋진 소년) the **good** teachers(그 좋은 선생님들)
	소유격 + 형용사 + 명사	my **new** bag(나의 새로운 가방) her **interesting** stories(그녀의 재미있는 이야기들)
	지시형용사 + 형용사 + 명사	this **pink** doll(이 분홍색 인형) those **heavy** boxes(저 무거운 상자들)

Jenny is a **cute girl**. Jenny는 귀여운 소녀이다.

This is my **new bicycle**. 이것은 나의 새로운 자전거이다.

I want these **yellow flowers**. 나는 이 노란색 꽃들을 원한다.

2 주어를 설명해주는 형용사

'~하다'라는 뜻으로 be동사 뒤에 와서 주어를 설명해요.

주어를 설명하는 경우	be동사 + 형용사	He is **kind**. 그는 친절하다. My brother is **tall**. 나의 오빠는 키가 크다. These actors are **famous**. 이 배우들은 유명하다.

Jenny **is cute**. Jenny는 귀엽다.

The bicycle **is new**. 그 자전거는 새것이다.

These flowers **are yellow**. 이 꽃들은 노란색이다.

Tip 형용사는 어느 위치에 어떻게 쓰이는지에 따라 비슷한 뜻의 문장을 서로 다르게 쓸 수 있어요.

He is a **kind** boy. 그는 친절한 소년이다.

= The boy is **kind**. 그 소년은 친절하다.

They are **popular** singers. 그들은 인기 있는 가수들이다.

= The singers are **popular**. 그 가수들은 인기 있다.

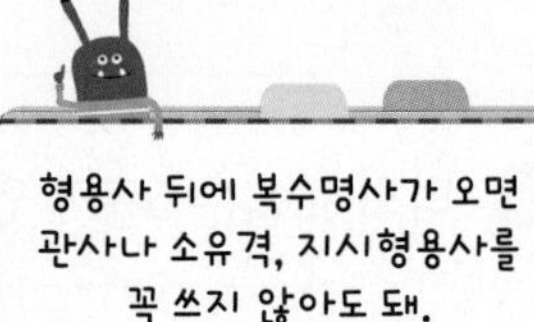

A 다음 밑줄 친 형용사가 꾸며주거나 설명하는 말을 찾아 표시하세요.

1 My brother is handsome.

2 Your feet are dirty.

3 They see cute ducks.

4 The children are smart.

5 The question is difficult.

6 The store sells delicious hamburgers.

7 Lucy and John meet famous writers.

★ handsome 잘생긴
★ dirty 더러운
★ smart 영리한
★ question 질문
★ difficult 어려운
★ sell 팔다
★ delicious 맛있는
★ famous 유명한
★ writer 작가
★ long 긴
★ drive 운전하다
★ large 큰
★ beautiful 아름다운

형용사는 명사 앞에 오거나 be동사 뒤에 와. 형용사가 명사 앞에 올 때는 관사나 소유격, 지시형용사와 함께 쓰일 수 있어. 그때도 형용사는 명사 바로 앞에 와.

Unit 5

B 다음 주어진 말 중에서 알맞은 것을 고르세요.

1 That is [long a river / a long river].

2 Sunjae drives [the large car / the car large].

3 I like [this nice picture / nice this picture].

4 Today is [a day cold / a cold day].

5 He wants [the black shoes / the shoes black].

6 We like [beautiful that house / that beautiful house].

7 Carry and Sophia are [my good friends / good my friends].

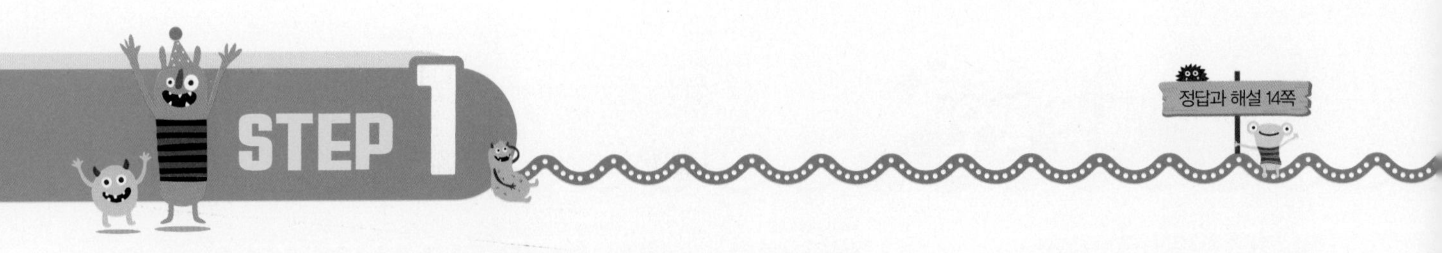

다음 두 문장이 같은 내용이 되도록 빈칸에 알맞은 말을 쓰세요.

1 This dress is beautiful.
➡ This is a beautiful dress.

2 The doctors are kind.
➡ They are ______.

3 Those pencils are short.
➡ Those are ______.

4 The tall student is Peter.
➡ Peter is a ______.

5 The soldiers are brave.
➡ They are ______.

6 The apples are green.
➡ They are ______.

7 Those rooms are dark.
➡ Those are ______.

8 That table is dirty.
➡ That is a ______.

9 These pies are delicious.
➡ These are ______.

10 The jacket is new.
➡ It is a ______.

★ dress 드레스
★ doctor 의사
★ short 짧은
★ soldier 군인
★ brave 용감한
★ dark 어두운
★ table 탁자
★ dirty 더러운
★ delicious 맛있는
★ jacket 재킷
★ new 새, 새것인

형용사가 명사 앞에 오거나 be동사 뒤에 쓰여서 서로 비슷한 뜻을 나타낼 수 있어.

다음 밑줄 친 부분을 바르게 고쳐 문장을 다시 쓰세요.

1 Jason is player an excellent.

➡ Jason is an excellent player.

2 Look at my car yellow.

➡

3 This is chair a heavy.

➡

4 I watch interesting the movie.

➡

5 They buy expensive those cameras.

➡

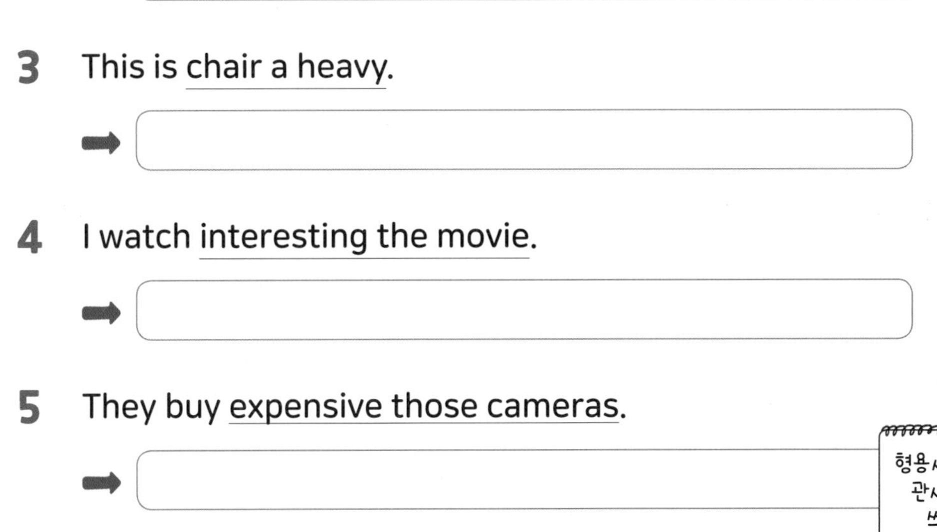

6 Today is a day cloudy.

➡

7 That pen blue is his.

➡

8 She is my daughter lovely.

➡

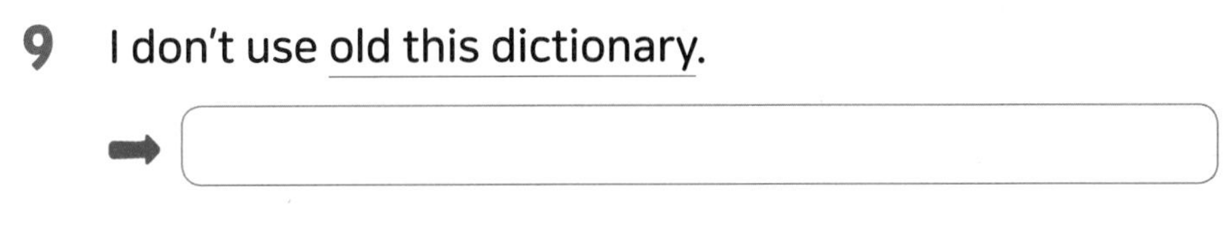

9 I don't use old this dictionary.

➡

10 Alice borrows red his umbrella.

➡

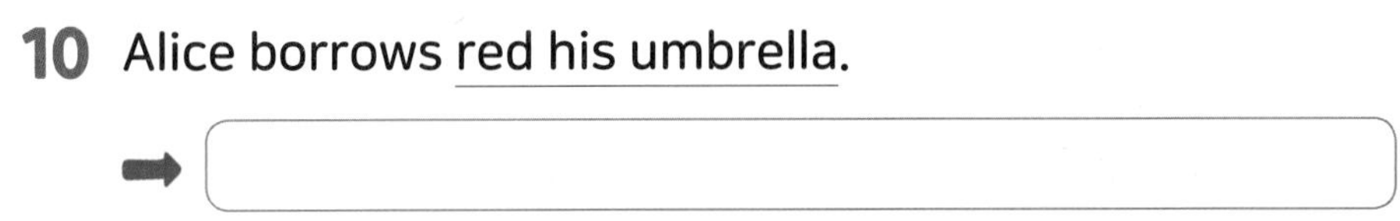

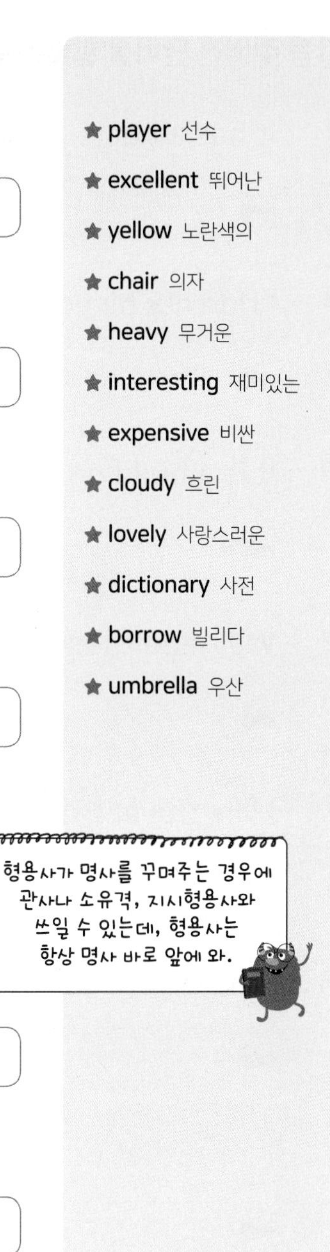

★ player 선수
★ excellent 뛰어난
★ yellow 노란색의
★ chair 의자
★ heavy 무거운
★ interesting 재미있는
★ expensive 비싼
★ cloudy 흐린
★ lovely 사랑스러운
★ dictionary 사전
★ borrow 빌리다
★ umbrella 우산

형용사가 명사를 꾸며주는 경우에 관사나 소유격, 지시형용사와 쓰일 수 있는데, 형용사는 항상 명사 바로 앞에 와.

Unit 5

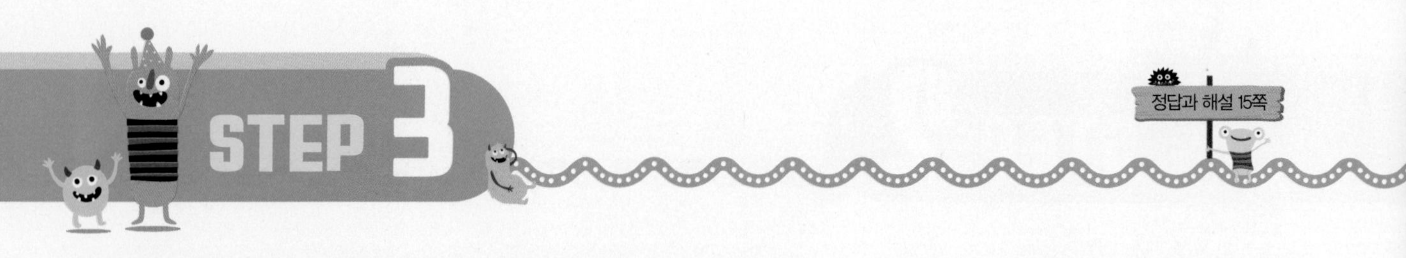

다음 주어진 단어를 알맞은 위치에 넣어 문장을 다시 쓰세요.

1 It has a neck. long

➡ It has a long neck.

2 I ride my bicycle. pink

➡

3 It is a building. tall

➡

4 We need these hats. purple

➡

5 I like the actress. beautiful

➡

6 This is your teacher. new

➡

7 I want that umbrella. yellow

➡

8 Mandy wears those pants. short

➡

9 They carry heavy bags. her

➡

10 My uncle is a firefighter. brave

➡

★ neck 목
★ long (길이가) 긴
★ ride 타다
★ building 건물
★ hat 모자
★ purple 보라색의
★ actress 여배우
★ beautiful 아름다운
★ umbrella 우산
★ pants 바지
★ carry 운반하다
★ firefighter 소방관
★ brave 용감한

형용사가 명사 앞에 쓰여서 명사를 꾸며줄 때는 관사나 소유격, 지시형용사와 함께 쓰이기도 해.

정답과 해설 15쪽

다음 우리말과 뜻이 같도록 주어진 단어를 사용하여 문장을 쓰세요.

1 Roy는 힘이 센 소년이다. strong boy

➡ Roy is a strong boy.

2 이 스웨터는 따뜻하다. sweater warm

➡

3 Joey의 딸은 건강하다. daughter healthy

➡

4 나는 저 파란색 버스를 탄다. take bus

➡

5 저 자동차들은 빠르지 않다. cars fast

➡

6 Ryan은 나의 오랜 친구이다. old friend

➡

7 이 키위들은 값이 싸다. kiwis cheap

➡

8 나는 그의 새로운 노래가 마음에 든다. like new song

➡

9 그들은 인기 있는 가수이다. popular singers

➡

10 우리는 저 깨끗한 수건들이 필요하다. need clean towels

➡

★ strong 힘이 센
★ sweater 스웨터
★ warm 따뜻한
★ healthy 건강한
★ old 오래된
★ cheap 값이 싼
★ popular 인기 있는
★ singer 가수
★ clean 깨끗한
★ towel 수건

형용사는 대부분 명사 앞에 와. 그런데 형용사가 be동사 뒤에 와서 주어를 설명해주기도 해.

Unit 5

실전 테스트

1 다음 중 형용사가 아닌 것을 고르세요.

① small　② tall
③ heavy　④ story
⑤ easy

★ small 작은
★ heavy 무거운
★ easy 쉬운

2 다음 중 의미가 반대인 형용사끼리 바르게 짝지어지지 않은 것을 고르세요.

① old — new　② fast — slow
③ good — bad　④ long — short
⑤ beautiful — pretty

★ new 새로운
★ slow 느린
★ bad 나쁜
★ short 짧은

[3~4] 다음 중 기수와 서수가 바르게 짝지어지지 않은 것을 고르세요.

3
① one — first　② five — fifth
③ ten — tenth　④ fifteen — fifteenth
⑤ twenty — twentyth

4
① six — sixth　② four — fourth
③ three — threeth　④ nine — ninth
⑤ twelve — twelfth

5 다음 괄호 안의 말이 들어갈 알맞은 위치를 고르세요.

I ① don't ② like ③ a ④ day ⑤. (windy)

★ windy 바람이 부는

6 다음 밑줄 친 부분이 잘못 쓰인 것을 고르세요.

① The room is clean.
② Tom is a cute boy.
③ The kids are hungry.
④ She wants white that hat.
⑤ Ms. Kim is my favorite teacher.

★ clean 깨끗한
★ cute 귀여운
★ hungry 배고픈
★ white 흰색의
★ favorite 가장 좋아하는

Unit 5

7 다음 중 잘못된 문장을 고르세요.

① The movie is sad.
② Wilson is a tall man.
③ The story is interesting.
④ This is new my computer.
⑤ The car is very expensive.

★ interesting 재미있는
★ expensive 비싼

8 다음 우리말을 영어로 바르게 옮긴 것을 고르세요.

Tony는 5학년이다.

① Tony is in fifth grades.
② Tony is in five grade.
③ Tony is in the fifth grade.
④ Tony is in the five grade.
⑤ Tony is in the fifth grades.

★ grade 학년

서술형

[9~12] 다음 우리말과 뜻이 같도록 주어진 단어를 사용하여 문장을 완성하세요.
(필요하면 단어의 형태를 바꾸세요.)

9

이 문제는 어렵다. difficult

➡ This question ______.

★ question 문제, 질문
★ difficult 어려운

10

나의 집은 7층에 있다. floor

➡ My house is on ______.

★ floor (건물의) 층

11

그는 두 마리의 개를 가지고 있다. dog

➡ He has ______.

12

나는 저 예쁜 여자아이를 안다.

pretty girl

➡ I know ______.

수량 형용사 (1)

Lesson 1 some / any

Lesson 2 every / all

긍정문	some flowers	some cheese
의문문	some/any flowers	any cheese
부정문	any flowers	any cheese

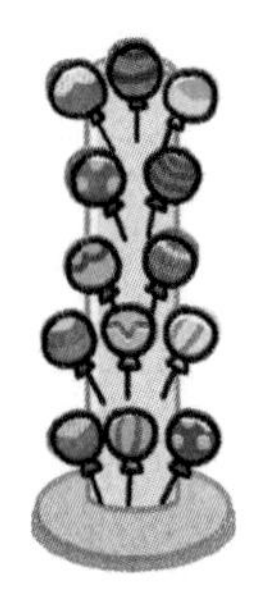

Every candy is sweet. = All candies are sweet.
모든 사탕은 달콤하다.

한 개, 두 개와 같이 정확한 수량이 아니라, 수나 양이 대략 어느 정도인지 나타내는 말이 있어요.
'약간의, 조금'이라는 뜻의 some, any와 '모든'이라는 뜻의 every, all을 수량 형용사라고 해요.

some / any

1 some / any의 의미와 쓰임

• 명사 앞에 쓰여서 아주 많지 않은 수나 양을 나타내요.
• 복수명사와 셀 수 없는 명사 앞에 모두 쓸 수 있어요.

	some	any
긍정문	몇몇의, 약간의, 조금	—
부정문	—	전혀, 조금도, 하나도
의문문	(권유·부탁) 약간의, 조금	몇몇의, 약간의, 조금

2 some

• 주로 긍정문에 쓰여요.
• 의문문에 쓰일 때는 부탁이나 권유의 의미를 나타내요.

I have **some books**. 〈긍정문〉 나는 몇 권의 책이 있다.

I have **some water**. 〈긍정문〉 나는 약간의 물이 있다.

Can I have **some milk**? 〈의문문 - 부탁〉 우유 좀 마셔도 되니?

Do you want **some cookies**? 〈의문문 - 권유〉 쿠키 좀 먹을래?

Would you like **some ice cream**? 〈의문문 - 권유〉 아이스크림 좀 드실래요?

Tip 주어가 「some + 복수명사」면 복수동사를 쓰고, 「some + 셀 수 없는 명사」면 단수동사를 써요.

Some students are in the classroom. 몇몇 학생들이 교실에 있다.

Some juice is in the glass. 약간의 주스가 유리잔에 있다.

3 any

주로 부정문과 의문문에 쓰여요.

I don't have **any books**. 〈부정문〉 나는 책이 하나도 없다.

I don't have **any water**. 〈부정문〉 나는 물이 전혀 없다.

Do you have **any books**? 〈의문문〉 너는 책이 좀 있니?

Do you have **any water**? 〈의문문〉 너는 물이 좀 있니?

A 다음 주어진 두 단어 중에서 알맞은 것을 고르세요.

1 I have [any] [some] questions.

2 We don't have [any] [some] cars.

3 Do you want [any] [some] bread?

4 They don't buy [any] [some] books.

5 Chris has [any] [some] cheese.

6 Does she have [any] [some] pencils?

7 Soyoung doesn't drink [any] [some] milk.

★ question 질문
★ bread 빵
★ pencil 연필
★ eraser 지우개
★ carrot 당근
★ coin 동전
★ meat 고기
★ student 학생
★ teacher 선생님

보통 some은 긍정문과 권유의 의문문에 쓰이고, any는 의문문과 부정문에 쓰여.

B 다음 주어진 두 단어 중에서 알맞은 명사를 고르세요.

1 I don't have any [friend] [erasers].

2 Do you need any [butter] [carrot]?

3 She buys some [apples] [orange].

4 We don't have any [coin] [money].

5 Would you like some [coffee] [cookie]?

6 My mother needs some [meat] [lemon].

7 Do you know any [student] [teachers]?

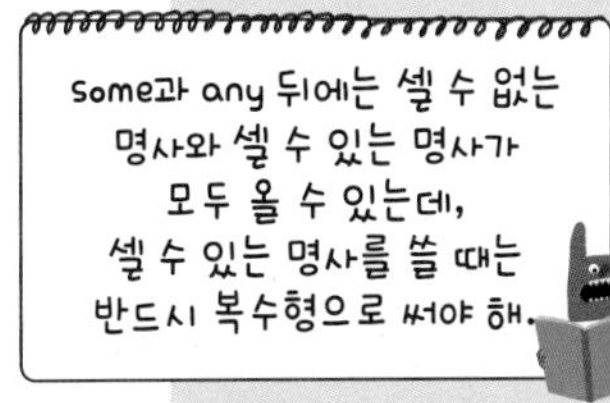

Unit 6

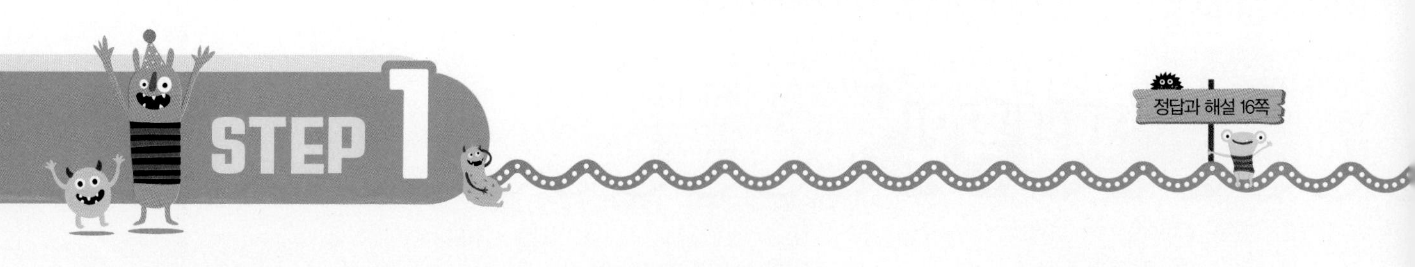

다음 우리말과 뜻이 같도록 빈칸에 some 또는 any를 쓰세요.

1 너는 계획이 좀 있니?

➡ Do you have [any] plans?

2 나는 주스를 조금도 원하지 않는다.

➡ I don't want [ ] juice.

3 그녀는 우표가 몇 장 필요하다.

➡ She needs [ ] stamps.

4 냅킨을 좀 줄 수 있겠니?

➡ Can I get [ ] napkins?

5 그들은 생선을 조금도 먹고 있지 않다.

➡ They are not having [ ] fish.

6 샐러드 좀 드실래요?

➡ Would you like [ ] salad?

7 우리는 도움이 조금 필요하다.

➡ We need [ ] help.

8 윤하는 채소를 전혀 먹지 않는다.

➡ Yunha doesn't eat [ ] vegetables.

9 너는 답이 조금이라도 기억나니?

➡ Do you remember [ ] answers?

10 나는 코코아를 조금 마시고 있다.

➡ I am drinking [ ] hot chocolate.

★ plan 계획
★ stamp 우표, 도장
★ napkin 냅킨
★ fish 생선, 물고기
★ salad 샐러드
★ help 도움
★ vegetable 채소
★ remember 기억하다
★ answer 답
★ drink 마시다
★ hot chocolate 코코아

부탁이나 권유를 나타내는 의문문에서는 any가 아닌 some을 사용해.

다음 밑줄 친 부분을 바르게 고쳐 문장을 다시 쓰세요.

1 I don't read some magazines.

➡ I don't read any magazines.

2 Some sands is in my shoes.

➡

3 Would you like any doughnuts?

➡

4 He is making any sandwiches.

➡

5 Do you know some famous writers?

➡

6 We are not drinking some soda.

➡ 

7 Sarah has any pink shirts.

➡ 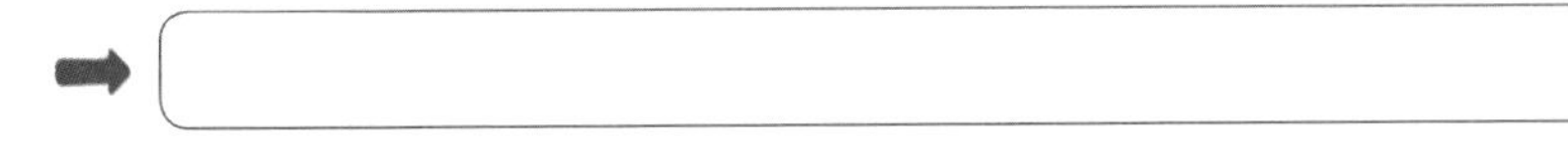

Some과 any 뒤에는 셀 수 있는 명사의 복수형이나 셀 수 없는 명사가 쓰여.

8 Does he have some brothers?

➡ 

9 My sisters don't have any toy.

➡ 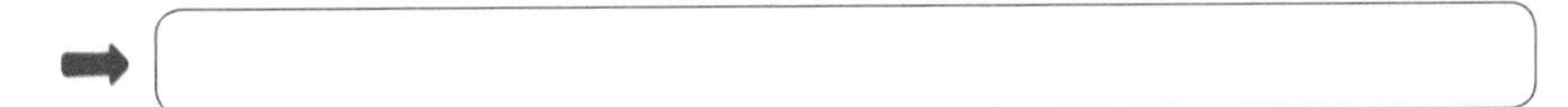

10 Some student are waiting for you.

➡ 

★ magazine 잡지
★ sand 모래
★ doughnut 도넛
★ famous 유명한
★ writer 작가
★ soda 탄산음료
★ pink 분홍색의
★ shirt 셔츠
★ toy 장난감
★ student 학생
★ wait for ~을 기다리다

Unit 6

STEP 3

정답과 해설 16쪽

다음 문장을 지시대로 바꿔 쓰세요. (부정문은 줄임형으로 쓰세요.)

1 I have some time. 부정문

➡ I don't have any time.

2 They don't need any paper. 긍정문

➡

3 Mason watches some horror movies. 부정문

➡

4 You have some coins. 의문문

➡

5 She doesn't buy any flowers. 긍정문

➡

6 The students play some sports. 부정문

➡

7 Sally takes some pictures. 의문문

➡

8 He doesn't drink any milk in the morning. 긍정문

➡

9 You have some questions. 의문문

➡

10 My dad reads some comic books. 부정문

➡

★ time 시간
★ paper 종이
★ watch 보다, 시청하다
★ horror movie 공포 영화
★ coin 동전
★ flower 꽃
★ sport 운동, 경기
★ take a picture 사진을 찍다
★ question 질문

some은 긍정문과 권유나 부탁의 의문문에, any는 부정문과 의문문에 쓰여.

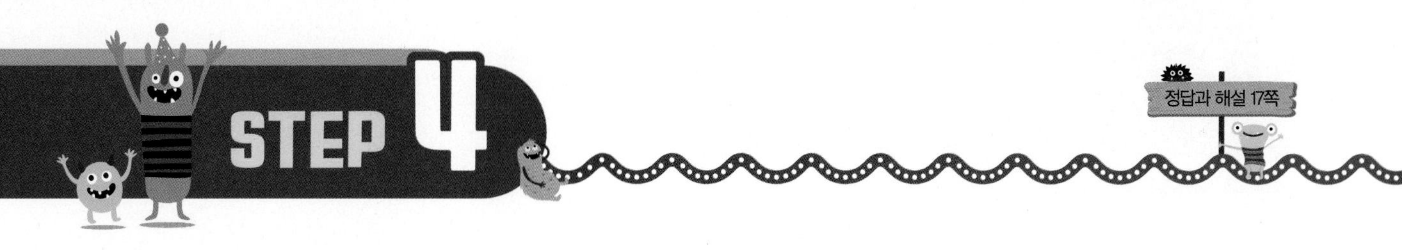

다음 우리말과 뜻이 같도록 주어진 단어와 some 또는 any를 사용하여 문장을 쓰세요. (필요하면 단어의 형태를 바꾸고, 줄임형으로 쓰세요.)

1 너 오렌지 주스 좀 먹을래? want orange juice

➡ Do you want some orange juice?

2 우리는 숟가락이 전혀 필요 없다. need spoon

➡

3 나는 몇 개의 모자가 있다. have cap

➡

4 Tom은 축구공을 좀 가지고 있니? have soccer ball

➡

5 나는 약간의 찬물을 마신다. drink cold water

➡

6 Jena는 연필이 하나도 없다. have pencil

➡

7 Alex는 사과를 몇 개 씻는다. wash apple

➡

8 그녀는 몇몇 이름을 기억한다. remember name

➡

9 James는 종이가 하나도 없다. have paper

➡

10 너는 좋은 식당을 좀 아니? know good restaurant

➡

★ need 필요하다
★ spoon 숟가락
★ cap 모자
★ soccer ball 축구공
★ cold 찬, 차가운
★ pencil 연필
★ wash 씻다
★ remember 기억하다
★ restaurant 식당

some과 any 뒤에 셀 수 있는 명사가 오면 꼭 복수형을 써야 해.

Unit 6

Lesson 2

every / all

1 every / all의 의미와 쓰임

명사 앞에 쓰여서 '모든'이라는 뜻을 나타내요.

every	all
단수명사 앞	복수명사 앞

2 every

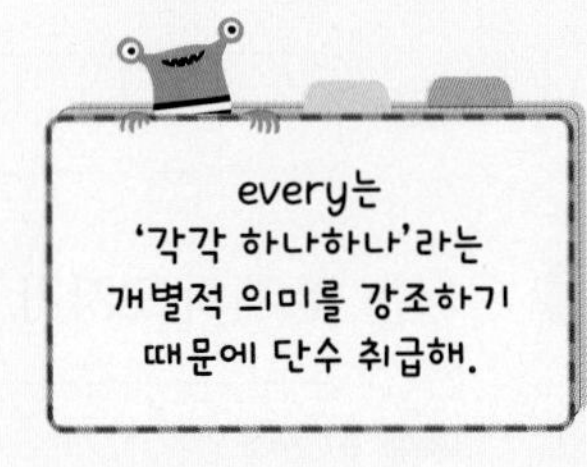

- every는 셀 수 있는 단수명사 앞에만 쓸 수 있어요.
- 「every + 단수명사」가 주어로 오면 동사는 단수형으로 써요.

Every bird has wings. 모든 새는 날개가 있다.

Every student likes the teacher. 모든 학생이 그 선생님을 좋아한다.

I know **every student** in the class. 나는 그 반의 모든 학생을 안다.

Tip every는 시간이나 요일을 나타내는 명사와 함께 쓰여서 '매~, ~마다'라는 뜻을 나타내기도 해요.

I watch TV **every evening**. 나는 매일 밤 TV를 본다.

We play tennis **every Saturday**. 우리는 토요일마다 테니스를 친다.

3 all

all은 '모든'이라는
전체의 의미를 강조하기
때문에 복수 취급해.

- all은 주로 복수명사와 함께 쓰여요.
- 「all + 복수명사」가 주어로 오면 동사는 복수형으로 써요.

All birds have wings. 모든 새들은 날개가 있다.

All students like the teacher. 모든 학생들이 그 선생님을 좋아한다.

I know **all the students** in the class. 나는 그 반의 모든 학생들을 안다.

◆ all과 명사 사이에는 정관사 the, 소유격, 지시형용사가 오기도 해요.

Tip all은 단수명사와 함께 쓰여서 '~(기간) 내내'라는 뜻을 나타내기도 해요.

I dream **all night**. 나는 밤새 꿈을 꾼다.

They stay at the beach **all summer**. 그들은 여름 내내 해변에서 지낸다.

Tip all 뒤에는 정관사 the나 소유격과 함께 셀 수 없는 명사가 올 수도 있어요.

All my homework is difficult. 내 숙제는 모두 어렵다.

She saves **all the money**. 그녀는 모든 돈을 저금한다.

A 다음 주어진 두 단어 중에서 알맞은 것을 고르세요.

1 All / Every doll is cute.

2 All / Every his friends study hard.

3 All / Every giraffe has a long neck.

4 All / Every the flowers are yellow.

5 All / Every car has an engine.

6 She washes her hair all / every night.

7 I like all / every students in my class.

★ doll 인형
★ cute 귀여운
★ giraffe 기린
★ neck 목
★ yellow 노란색의
★ engine 엔진
★ name 이름
★ high school 고등학교
★ student 학생
★ enjoy 즐기다
★ school uniform 교복

'~마다'를 나타낼 때는 「every + 단수명사」를 쓰고, '~ 내내'를 나타낼 때는 「all + 단수명사」를 써.

B 다음 주어진 두 단어 중에서 알맞은 명사를 고르세요.

1 Every flower / flowers has a name.

2 My parents work all day / days .

3 Frank drinks milk every morning / mornings .

4 All my sister / sisters go to high school.

5 I know every teacher / teachers in my school.

6 They enjoy swimming all summer / summers .

7 All the student / students wear school uniforms.

Unit 6

다음 우리말과 뜻이 같도록 빈칸에 every 또는 all을 쓰세요.

1 여기 있는 모든 선수들은 열심히 노력한다.

➡ [All] the players here try hard.

2 모든 칼은 날카롭다.

➡ [   ] knife is sharp.

3 그녀는 매일 밤 뉴스를 본다.

➡ She watches the news [   ] night.

4 지원이는 모든 곤충들을 좋아한다.

➡ Jiwon loves [   ] the insects.

5 모든 아이들은 장난감을 좋아한다.

➡ [   ] children like toys.

6 Brown 선생님은 모든 질문에 대답하신다.

➡ Mr. Brown answers [   ] question.

7 모든 아기는 운다.

➡ [   ] baby cries.

8 Toby는 그들의 모든 노래들을 듣는다.

➡ Toby listens to [   ] their songs.

9 모든 집은 창문을 가지고 있다.

➡ [   ] house has a window.

10 여기 있는 모든 쿠키들은 맛있다.

➡ [   ] the cookies here are delicious.

★ player 선수
★ here 여기에
★ try 노력하다
★ knife 칼
★ sharp 날카로운
★ insect 곤충
★ answer 대답하다
★ question 질문
★ delicious 맛있는

명사가 복수형이면 무조건 all을 써야 해. every 뒤에는 셀 수 있는 단수명사만 올 수 있어.

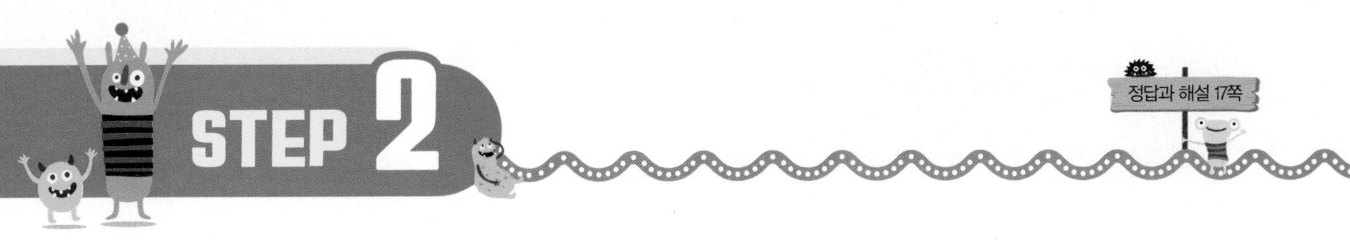

다음 밑줄 친 부분을 바르게 고쳐 문장을 다시 쓰세요.

1 Every tigers are strong.
➡ All tigers are strong.

2 All room here is clean.
➡

3 Do you go to the library every days?
➡

4 Every students is carrying a bag.
➡

5 Many people enjoy skating all winters.
➡

6 Amy puts all her camera on the table.
➡

7 Every players wears gloves.
➡

8 Kevin invites all his friend to the party.
➡

9 All spider has eight legs.
➡

10 Pete drinks every the water in the bottle.
➡

★ tiger 호랑이
★ strong 힘이 센
★ carry 메다, 들다
★ library 도서관
★ enjoy 즐기다
★ skate 스케이트를 타다
★ winter 겨울
★ gloves 장갑
★ invite 초대하다
★ spider 거미
★ leg 다리
★ bottle 병

all과 명사 사이에는 the, 소유격, 지시형용사가 올 수 있어.

Unit 6

STEP 3

정답과 해설 18쪽

다음 우리말과 뜻이 같도록 주어진 단어를 배열하세요.

1 모든 어린이는 꿈을 갖고 있다.

child / every / a / has / dream

➡ Every child has a dream.

2 나는 그곳의 모든 동물들을 좋아한다.

I / the / like / animals there / all

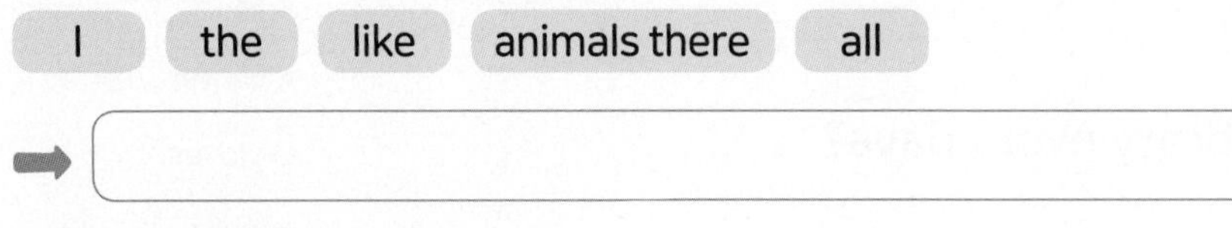

➡

3 그들은 그 호텔의 모든 방을 청소한다.

in the hotel / clean / every / they / room

➡

4 모든 캥거루는 높이 뛴다.

every / jumps / high / kangaroo

➡

5 그녀의 모든 인형들은 귀엽다.

are / dolls / cute / all / her

➡

6 나는 주말마다 내 친구들을 만난다.

my friends / every / meet / I / weekend

➡

7 모든 제과점은 초콜릿 케이크를 판다.

sells / bakery / chocolate cake / every

➡

8 Angie는 밤새 컴퓨터 게임을 한다.

night / Angie / computer games / plays / all

➡

★ child 어린이, 아이
★ dream 꿈
★ animal 동물
★ there 그곳에
★ clean 청소하다
★ jump 뛰다
★ high 높이
★ kangaroo 캥거루
★ doll 인형
★ cute 귀여운
★ weekend 주말
★ bakery 제과점, 빵집

every는 항상 셀 수 있는 단수명사 앞에만 쓰이고, all은 셀 수 있는 명사와 셀 수 없는 명사 앞에 모두 쓰여.

**다음 우리말과 뜻이 같도록 주어진 단어를 사용하여 문장을 쓰세요.
(주어진 단어의 형태는 바꾸지 마세요.)**

1 모든 경찰관은 용감하다. policeman brave

➡ Every policeman is brave.

2 그의 모든 재킷들은 검정색이다. jackets black

➡

3 나의 모든 사촌들은 서울에 산다. cousins live in Seoul

➡

4 나는 매일 밤 빨래를 한다. do the laundry night

➡

5 모든 꽃들은 아름답다. flowers beautiful

➡

6 모든 학생들은 명찰이 있다. students have name tags

➡

7 모든 집은 화장실을 가지고 있다. house has a restroom

➡

8 나는 여름 내내 선글라스를 쓴다. wear sunglasses summer

➡

9 그는 로마의 모든 박물관을 방문한다. visits museum in Rome

➡

10 Chris는 매일 아침 바이올린을 연주한다. plays the violin morning

➡

★ policeman 경찰관
★ brave 용감한
★ jacket 재킷
★ cousin 사촌
★ do the laundry 빨래를 하다
★ beautiful 아름다운
★ name tag 명찰
★ restroom 화장실
★ summer 여름
★ visit 방문하다
★ museum 박물관

명사의 형태가 단수형인지 복수형인지를 먼저 확인해야 해.

Unit 6

실전 테스트

[1~4] 다음 우리말과 뜻이 같도록 빈칸에 들어갈 알맞은 말을 고르세요.

1

모든 개는 이름이 있다.
→ ________ dog has a name.

① Some ② Any
③ Every ④ All
⑤ The

★ name 이름

2

나는 몇 권의 공책을 가지고 있다.
→ I have ________ notebooks.

① some ② any
③ every ④ all
⑤ the

★ notebook 공책

3

나는 그녀의 모든 자녀들을 안다.
→ I know ________ her children.

① some ② any
③ every ④ all
⑤ the

★ child 자녀, 아이

4

민지는 가방이 하나도 없다.
→ Minji doesn't have ________ bags.

① some ② any
③ every ④ all
⑤ the

★ bag 가방

5 다음 빈칸에 공통으로 들어갈 말로 알맞은 것을 고르세요.

• Would you like ________ juice?
• I know ________ teachers there.

① a　② all
③ any　④ some
⑤ every

★ would you like ~? ~ 좀 드릴까요?(드실래요?)
★ teacher 선생님

6 다음 빈칸에 들어갈 말을 바르게 짝지은 것을 고르세요.

• Every baby ________ cute.
• All children ________ comic books.

① is — likes　② are — likes
③ is — like　④ are — like
⑤ am — likes

★ cute 귀여운
★ comic book 만화책

Unit 6

[7~8] 다음 밑줄 친 부분이 잘못 쓰인 것을 고르세요.

7
① Every bird has wings.
② I have some tickets.
③ Do you have any money?
④ All my students are smart.
⑤ I don't have some friends.

★ wing 날개
★ ticket 표, 티켓
★ smart 똑똑한

8
① All dogs have tails.
② Some schools are small.
③ I play soccer every Sunday.
④ He doesn't eat any tomatoes.
⑤ Can I get any napkins, please?

★ taill 꼬리
★ small 작은

서술형

[9~12] 다음 우리말과 뜻이 같도록 주어진 단어를 사용하여 문장을 완성하세요. (필요하면 단어의 형태를 바꾸세요.)

9

빵 좀 드실래요? bread

➡ Would you like ____________ ?

★ bread 빵

10

Jen은 치마가 한 벌도 없다. skirt

➡ Jen doesn't have ____________ .

★ skirt 치마

11

그의 모든 친구들은 키가 크다. friend

➡ ____________ are tall.

12

모든 학생이 스마트폰을 갖고 있다. student

➡ ____________ has a smartphone.

★ smartphone 스마트폰

수량 형용사 (2)

Lesson 1 many / much, a lot of / lots of

Lesson 2 a few / few, a little / little

명사를 꾸며주는 수량 형용사 중에 많고 적음을 나타내는 말들이 있어요. apple, banana처럼 개수를 셀 수 있는 것과 water, milk, money처럼 개수를 셀 수 없는 것들의 많고 적음을 나타낼 때 사용해요.

many / much, a lot of / lots of

1 many / much

'많은'이라는 뜻으로, many는 복수명사 앞에, much는 셀 수 없는 명사 앞에 써요.

many	+ 복수명사	**many** toys(많은 장난감들)	**many** chairs(많은 의자들)
much	+ 셀 수 없는 명사	**much** water(많은 물)	**much** sugar(많은 설탕)

My sister has **many hats.** 나의 언니는 많은 모자를 가지고 있다.

Sumin knows **many people.** 수민이는 많은 사람들을 안다.

I don't drink **much milk.** 나는 우유를 많이 마시지 않는다.

Do they eat **much rice**? 그들은 밥을 많이 먹니?

Tip much는 긍정문에 거의 쓰이지 않고 주로 의문문과 부정문에 쓰여요.

I drink **much** milk. (×)

→ I drink **a lot of** milk. (○) 나는 우유를 많이 마신다.

2 a lot of / lots of

'많은'이라는 뜻으로 셀 수 있는 복수명사와 셀 수 없는 명사 앞에 모두 쓸 수 있어요.

a lot of = lots of	+ 복수명사	**a lot of** books(많은 책들) = **many** books **lots of** animals(많은 동물들) = **many** animals
	+ 셀 수 없는 명사	**a lot of** money(많은 돈) = **much** money **lots of** homework(많은 숙제) = **much** homework

I read **a lot of / lots of comic books.** 나는 만화책을 많이 읽는다.

Laura doesn't have **a lot of / lots of friends.** Laura는 친구가 많지 않다.

Jack eats **a lot of / lots of ice cream.** Jack은 아이스크림을 많이 먹는다.

Do you have **a lot of / lots of time**? 너는 시간이 많이 있니?

a lot of는 lots of와
같은 뜻이고,
many와 much 대신
사용할 수 있어.

A 다음 주어진 두 단어 중에서 알맞은 것을 고르세요.

1 I have much (many) pens.

2 Do you have much many coins?

3 She doesn't use much many cheese.

4 The car doesn't need much many oil.

5 Does Christine take much many pictures?

6 Does he drink much many water?

7 Jessica has much many notebooks.

★ pen 펜
★ coin 동전
★ use 쓰다, 사용하다
★ oil 기름
★ picture 사진
★ notebook 공책
★ basket 바구니
★ store 가게, 상점
★ toy 장난감
★ homework 숙제

money는 셀 수 없지만, coin은 셀 수 있어.

B 다음 주어진 말 중에서 알맞은 말을 모두 고르세요.

1 I have much (many) (a lot of) books.

2 Does she eat much many a lot of soup?

3 Does he need much many lots of baskets?

4 You don't buy much many a lot of bread.

5 Do you spend much many lots of money?

6 The store has much many a lot of toys.

7 I don't have much many lots of homework.

Unit 7

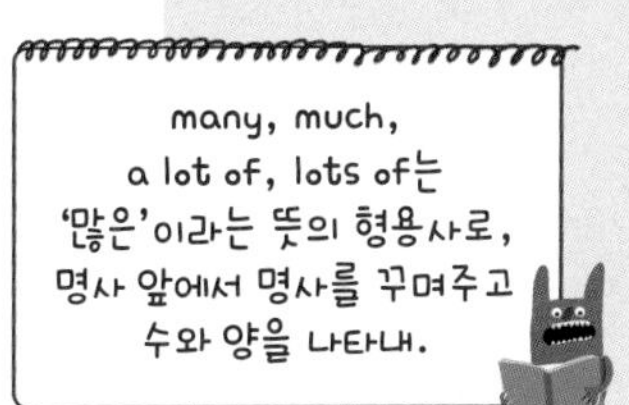

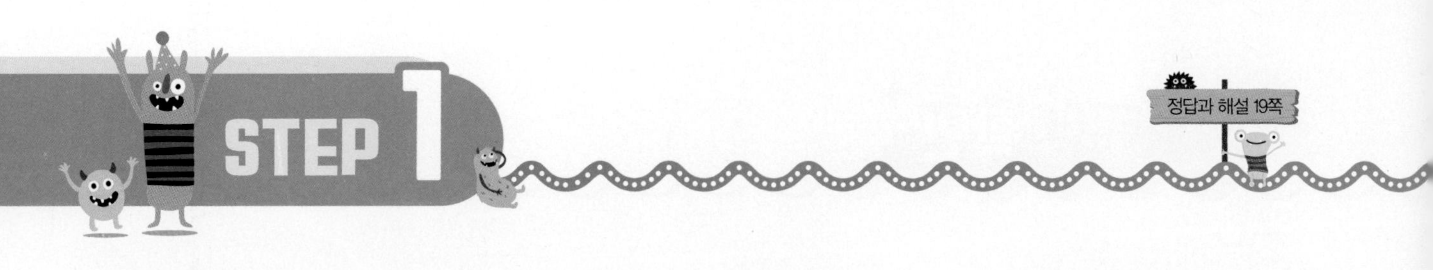

다음 우리말과 뜻이 같도록 빈칸에 many 또는 much를 쓰세요.

1 그 집은 많은 창문을 가지고 있다.

➡ The house has [many] windows.

2 그는 고기를 많이 사지 않는다.

➡ He doesn't buy [ ] meat.

3 너는 많은 시간이 필요하니?

➡ Do you need [ ] time?

4 Andy는 오렌지를 많이 먹는다.

➡ Andy eats [ ] oranges.

5 우리는 버터가 많지 않다.

➡ We don't have [ ] butter.

6 저 공장은 많은 의자를 만든다.

➡ The factory makes [ ] chairs.

7 Jina는 친구를 많이 사귀지 않는다.

➡ Jina doesn't make [ ] friends.

8 그들은 많은 도움이 필요하니?

➡ Do they need [ ] help?

9 나는 만화책을 많이 읽지 않는다.

➡ I don't read [ ] comic books.

10 너의 오빠는 우유를 많이 마시니?

➡ Does your brother drink [ ] milk?

★ house 집
★ window 창문
★ meat 고기
★ time 시간
★ factory 공장
★ chair 의자
★ make friends 친구를 사귀다
★ need 필요하다
★ help 도움
★ read 읽다

명사 끝에 -s가 있으면 복수명사니까 many를 쓰면 되고, 끝에 -s가 없으면 셀 수 없는 명사니까 much를 쓰면 돼.

다음 밑줄 친 부분을 바르게 고쳐 문장을 다시 쓰세요.

1 He visits much countries.

➡ He visits many[a lot of / lots of] countries.

2 I don't eat much breads.

➡

3 Sarah has a lot shoes.

➡

4 Does Johnny ask lots of question?

➡

5 We aren't using many paper.

➡

6 Do they borrow much books?

➡

7 The store doesn't sell much rices.

➡

8 Do you need a lots chocolate?

➡

9 I don't drink many water at night.

➡

10 Suji doesn't need many flower.

➡

★ visit 방문하다
★ country 나라
★ shoes 신발
★ ask 묻다
★ question 질문
★ use 사용하다
★ borrow 빌리다
★ sell 팔다
★ at night 밤에

many, a lot of, lots of 뒤에 셀 수 있는 명사가 올 때는 반드시 복수형으로 써야 해.

Unit 7

다음 밑줄 친 부분을 주어진 말로 바꾸고 many 또는 much를 사용해서 문장을 다시 쓰세요.

1 They don't eat a lot of chicken. cookies
➡ They don't eat many cookies.

2 Do they need lots of butter? balls
➡

3 Does the store sell a lot of pants? meat
➡

4 We use lots of shampoo every day. towels
➡

5 They don't make a lot of cars. bread
➡

6 Abby doesn't buy lots of honey. potatoes
➡

7 Do you have lots of friends? time
➡

8 We don't see a lot of snow here. rabbits
➡

9 Does Jenna want lots of soup? pens
➡

10 Do you eat a lot of peaches? rice
➡

★ chicken 닭고기
★ ball 공
★ sell 팔다
★ pants 바지
★ shampoo 샴푸
★ towel 수건
★ honey 꿀
★ potato 감자
★ rabbit 토끼
★ peach 복숭아

many는 셀 수 있는 복수명사 앞에, much는 셀 수 없는 명사 앞에 쓰고, a lot of/lots of는 복수명사와 셀 수 없는 명사 앞에 모두 쓰여.

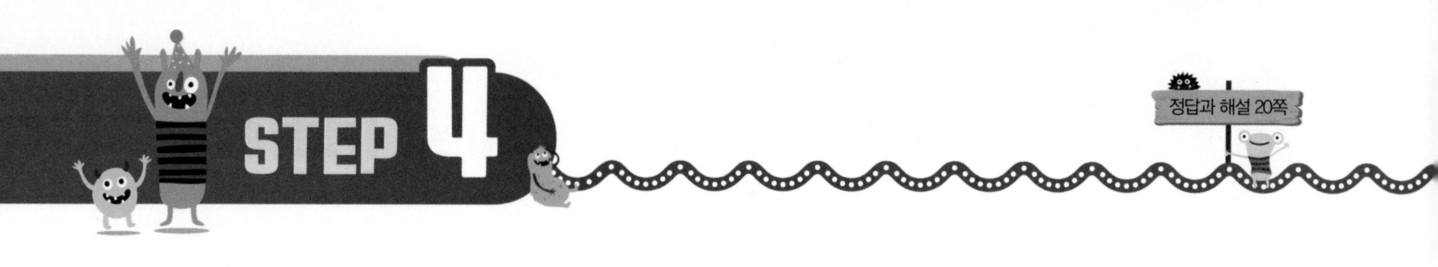

다음 우리말과 뜻이 같도록 주어진 단어를 사용하여 문장을 쓰세요. (부정문은 줄임형으로 쓰세요.)

1 그는 차를 많이 마시니? drink tea
➡ Does he drink much[a lot of / lots of] tea?

2 나는 종이를 많이 가지고 있지 않다. have paper
➡

3 Kate는 샌드위치를 많이 만드니? make sandwiches
➡

4 Joel은 편지를 많이 쓰지 않는다. write letters
➡

5 그녀는 수프에 소금을 많이 넣니? put salt in the soup
➡

6 우리는 설탕을 많이 사용하지 않는다. use sugar
➡

7 그녀는 많은 그림을 그리지 않는다. draw pictures
➡

8 Emily는 커피를 많이 마시지 않는다. drink coffee
➡

9 너는 장난감을 많이 가지고 있다. have toys
➡

10 Matt은 많은 소설을 읽는다. reads novels
➡

★ tea (마시는) 차
★ paper 종이
★ sandwich 샌드위치
★ write 쓰다
★ letter 편지
★ put 넣다
★ sugar 설탕
★ draw 그리다
★ picture 그림
★ novel 소설

셀 수 있는 명사의 복수형은 대부분 끝에 (e)s가 붙어 있다는 것을 기억해.

Unit 7

a few / few, a little / little

1 a few / few

- a few와 few는 '수'를 나타낼 때 써요.
- 「a few + 복수명사」는 '약간의, 몇몇의'라는 긍정의 뜻이에요.
- 「few + 복수명사」는 '거의 없는'이라는 부정의 뜻이에요.

복수명사 앞			
긍정	a few	**a few** pencils(몇 개의 연필)	**a few** hours(몇 시간)
부정	few	**few** erasers(지우개가 거의 없는)	**few** fish(물고기가 거의 없는)

I read **a few books**. 나는 몇 권의 책을 읽는다.

He has **a few friends**. 그는 몇 명의 친구가 있다.

I read **few books**. 나는 책을 거의 읽지 않는다.

He has **few friends**. 그는 친구가 거의 없다.

2 a little / little

- a little과 little은 '양'을 나타낼 때 써요.
- 「a little + 셀 수 없는 명사」는 '약간의, 조금의'라는 긍정의 뜻이에요.
- 「little + 셀 수 없는 명사」는 '거의 없는'이라는 부정의 뜻이에요.

few와 little이 쓰인
문장에는 not이 없어도
부정의 뜻이 있어.

셀 수 없는 명사 앞			
긍정	a little	**a little** butter(약간의 버터)	**a little** juice(약간의 주스)
부정	little	**little** milk(우유가 거의 없는)	**little** rice(밥이 거의 없는)

I spend **a little money**. 나는 돈을 조금 쓴다.

We have **a little time**. 우리는 시간이 조금 있다.

I spend **little money**. 나는 돈을 거의 쓰지 않는다.

We have **little time**. 우리는 시간이 거의 없다.

A 다음 주어진 말 중에서 알맞은 것을 고르세요.

1 We grow [a few] [a little] trees.

2 Hanna drinks [few] [little] coffee.

3 You buy [a few] [a little] onions.

4 They listen to [few] [little] music.

5 She needs [a few] [a little] cheese.

6 Jake reads [few] [little] comic books.

7 I drink [a few] [a little] milk every day.

- ★ grow 기르다
- ★ onion 양파
- ★ listen to ~을 듣다
- ★ flour 밀가루
- ★ vegetable 채소
- ★ photo 사진
- ★ hat 모자
- ★ sugar 설탕
- ★ homework 숙제

B 다음 주어진 말 중에서 알맞은 것을 고르세요.

1 I use little [pen] [shampoo] .

2 We see a few [cars] [snow] .

3 He wants a little [flour] [cameras] .

4 She eats few [butter] [vegetables] .

5 Fred has little [money] [photos] .

6 Jenny buys a few [hats] [sugar] .

7 I have a little [flower] [homework] .

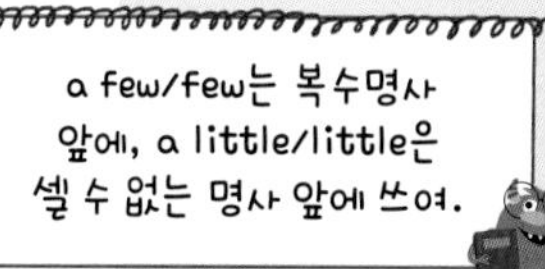

Unit 7

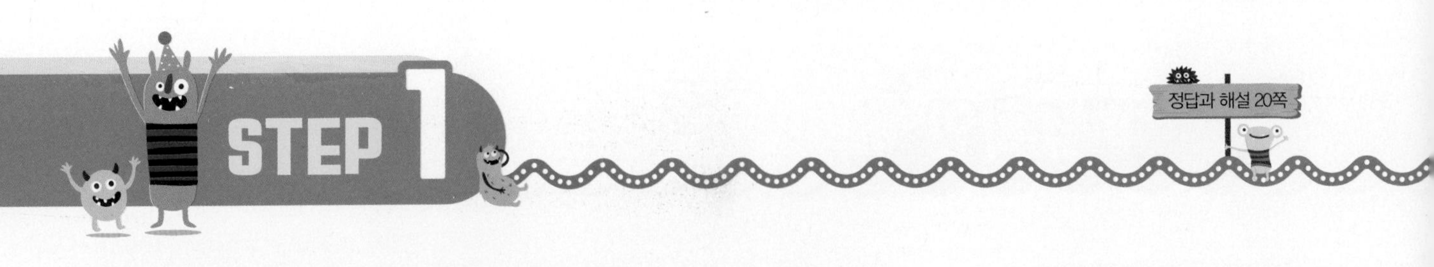

다음 우리말과 뜻이 같도록 빈칸에 (a) few 또는 (a) little을 쓰세요.

1 나는 해산물을 거의 먹지 않는다.

➡ I eat [little] seafood.

2 우리는 바나나를 몇 개 먹는다.

➡ We eat [   ] bananas.

3 그릇 안에 밥이 거의 없다.

➡ [   ] rice is in the bowl.

4 우리는 설탕이 조금 필요하다.

➡ We need [   ] sugar.

5 나의 엄마는 옷을 거의 사지 않는다.

➡ My mom buys [   ] clothes.

6 수진이는 사진을 거의 찍지 않는다.

➡ Sujin takes [   ] pictures.

7 Cindy는 약간의 사과잼이 필요하다.

➡ Cindy needs [   ] apple jam.

8 나는 저기 있는 선생님들을 거의 모른다.

➡ I know [   ] teachers there.

9 컵 안에 약간의 녹차가 있다.

➡ [   ] green tea is in the cup.

10 몇 명의 배우들이 무대 위에서 춤을 춘다.

➡ [   ] actors dance on the stage.

★ seafood 해산물
★ rice 밥
★ bowl 그릇
★ sugar 설탕
★ clothes 옷
★ take pictures 사진을 찍다
★ teacher 선생님
★ green tea 녹차
★ actor 배우
★ dance 춤추다
★ stage 무대

셀 수 있는 복수명사 앞에는 a few나 few, 셀 수 없는 명사 앞에는 a little이나 little을 써.

다음 우리말과 뜻이 같도록 밑줄 친 부분을 바르게 고쳐 문장을 다시 쓰세요.

1 I need a few paper. 나는 약간의 종이가 필요하다.

➡ I need a little paper.

2 David remembers a few story. David는 몇몇 이야기를 기억한다.

➡

3 Kelly has little necklaces. Kelly는 목걸이가 거의 없다.

➡

4 The house has a few tables. 그 집에는 탁자가 거의 없다.

➡

5 We have few time now. 우리는 지금 시간이 거의 없다.

➡

6 Doha eats few cookie. 도하는 쿠키를 거의 먹지 않는다.

➡

(a) few 뒤에는 항상 복수명사를 써야 해.

7 Paul has a little money in the bank. Paul은 은행에 돈이 거의 없다.

➡

8 She buys a few cheese here. 그녀는 여기에서 약간의 치즈를 산다.

➡

9 Little air comes into the house. 약간의 바람이 집 안으로 들어온다.

➡

10 I visit a few city. 나는 몇몇 도시들을 방문한다.

➡

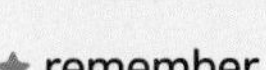

★ paper 종이
★ remember 기억하다
★ story 이야기
★ necklace 목걸이
★ bank 은행
★ air 바람, 공기
★ into the house 집 안으로
★ visit 방문하다
★ city 도시

Unit 7

STEP 3

정답과 해설 21쪽

다음 우리말과 뜻이 같도록 주어진 단어를 배열하세요.

1 Terry는 코트가 거의 없다. few / has / coats / Terry

➡ Terry has few coats.

2 약간의 먼지가 방안에 있다. in the room / a little / is / dust

➡

3 Sue는 모자를 거의 쓰지 않는다. hats / few / Sue / wears

➡

4 그 요리사는 고기가 거의 없다. has / little / the chef / meat

➡

5 Jack은 사슴 몇 마리를 그린다. Jack / a few / draws / deer

➡

6 그들은 종이가 조금 필요하다. paper / they / a little / need

➡

7 우리는 동전이 거의 없다. coins / few / we / have

➡

(a) few 뒤에는 복수명사, (a) little 뒤에는 셀 수 없는 명사가 와야 해.

8 그는 소금을 거의 쓰지 않는다. little / he / salt / uses

➡

9 Tom은 형제들이 몇 명 있다. brothers / a few / has / Tom

➡

10 우리는 꿀이 조금 있다. a little / have / we / honey

➡

★ coat 코트, 외투
★ dust 먼지
★ hat 모자
★ chef 요리사
★ draw 그리다
★ deer 사슴
★ coin 동전
★ salt 소금
★ brother 형제
★ honey 꿀

다음 우리말과 뜻이 같도록 주어진 단어와 (a) few 또는 (a) little을 사용하여 문장을 쓰세요.

- ★ baseball 야구
- ★ roof 지붕
- ★ spend (돈을) 쓰다
- ★ hope 희망
- ★ grow 기르다
- ★ plant 식물
- ★ hat 모자

1 몇 명의 소년들이 야구를 한다. boys / play baseball

➡ A few boys play baseball.

2 약간의 눈이 지붕 위에 있다. snow / on the roof

➡

3 그들은 몇 대의 트럭이 있다. have / trucks

➡

4 Rick은 돈을 거의 쓰지 않는다. spends / money

➡

5 우리는 약간의 희망이 있다. have / hope

➡

6 그녀는 몇 곡의 노래를 부른다. sings / songs

➡

앞에 a가 붙은 a few와 a little은 약간 있다는 뜻이고, few와 little은 거의 없다는 뜻이야.

7 Garcia는 식물을 거의 기르지 않는다. grows / plants

➡

8 Alex는 약간의 딸기주스를 마신다. drinks / strawberry juice

➡

9 내 여동생은 모자가 거의 없다. my sister / has / hats

➡

10 나는 아침에 밥을 거의 먹지 않는다. eat / rice / in the morning

➡

실전 테스트

[1~2] 다음 빈칸에 들어갈 말로 알맞은 것을 고르세요.

1

Do you read ________ books?

① much ② many
③ a little ④ little
⑤ every

2

I have a little ________.

① pens ② fish
③ bags ④ time
⑤ rulers

★ ruler 자

3 **다음 빈칸에 들어갈 말로 알맞지 않은 것을 고르세요.**

Jenny knows ________ people here.

① a few ② few
③ a little ④ many
⑤ lots of

★ people 사람들

4 **다음 빈칸에 들어갈 말을 바르게 짝지은 것을 고르세요.**

• We need ________ water.
• I read ________ books a month.

① little — a little ② a little — little
③ a few — few ④ few — a few
⑤ a little — a few

★ month 달, 월

5 다음 빈칸에 들어갈 말로 알맞지 않은 것을 고르세요.

I don't need many ________.

① toys ② socks
③ paper ④ boxes
⑤ notebooks

★ notebook 공책

[6~7] 다음 밑줄 친 부분이 잘못 쓰인 것을 고르세요.

6
① I eat a lot of bread.
② I need a little cheese.
③ Sam has few cousins.
④ We have many homework.
⑤ A few trees are in the garden.

★ cousin 사촌
★ homework 숙제
★ garden 정원

7
① Lisa eats little meat.
② I don't have much shoes.
③ Do you buy many books?
④ I have a few apples a day.
⑤ Do you drink a lot of water?

★ meat 고기
★ a day 하루에

Unit 7

8 다음 밑줄 친 부분을 바르게 고친 것을 고르세요.

My father doesn't watch much movies.

① little movies ② a little movies
③ much movie ④ many movies
⑤ lots of movie

★ movie 영화

서술형

[9~12] 다음 우리말과 뜻이 같도록 주어진 단어를 사용하여 문장을 완성하세요.
(필요하면 단어의 형태를 바꾸고, 한 칸에 한 단어만 쓰세요.)

9

우리는 많은 동물들을 본다. animal

➡ We see ______ ______ ______ ______.

★ animal 동물

10

Bill은 시간이 많지 않다. time

➡ Bill doesn't have ______ ______.

11

우리는 밥을 거의 먹지 않는다. rice

➡ We eat ______ ______.

★ rice 밥, 쌀

12

John은 장난감 몇 개를 산다. toy

➡ John buys ______ ______ ______.

★ toy 장난감

부사

Lesson 1 부사의 쓰임과 형태

Lesson 2 빈도부사

부사는 동사에 의미를 더해서 문장을 더 구체적으로 설명해 주는 역할을 해요. 부사는 동사, 형용사, 다른 부사, 문장 전체를 꾸며주면서 어떤 일이 언제, 어디서, 어떻게, 얼마나 자주 일어나는지 설명해줘요.

부사의 쓰임과 형태

1 부사의 쓰임

동사를 꾸며주는 경우	(주로) 동사 뒤	Robin **speaks slowly**. Robin은 천천히 말한다.
형용사를 꾸며주는 경우	형용사 앞	This picture is **very beautiful**. 이 그림은 매우 아름답다.
다른 부사를 꾸며주는 경우	부사 앞	He teaches math **really well**. 그는 수학을 정말 잘 가르친다.

Tip 동사 뒤에 목적어가 있을 때는 목적어 다음에 부사가 와요.

My sister **eat dinner quickly**. 나의 여동생은 저녁을 빨리 먹는다.
(eat: 동사, dinner: 목적어)

2 부사의 형태

부사는 주로 형용사에 '-ly'를 붙여서 만들지만, 형용사와 부사의 형태가 같은 경우도 있어요.

대부분의 형용사	+ ly	quick(빠른) → quick**ly**(빨리) deep(깊은) → deep**ly**(깊게)	slow(느린) → slow**ly**(느리게) quiet(조용한) → quiet**ly**(조용히)
「자음 + y」로 끝나는 형용사	y → ily	busy(바쁜) → bus**ily**(바쁘게) happy(행복한) → happ**ily**(행복하게)	easy(쉬운) → eas**ily**(쉽게) heavy(무거운) → heav**ily**(무겁게)
형용사와 부사의 형태가 같은 경우		fast(빠른) → **fast**(빠르게) early(이른) → **early**(일찍) ◆ 형용사와 부사의 형태가 같지만 뜻이 달라지는 경우 hard(딱딱한, 어려운) → **hard**(열심히)	late(늦은) → **late**(늦게) high(높은) → **high**(높이) pretty(예쁜) → **pretty**(매우)
형태나 뜻이 다른 경우		good(좋은) → **well**(잘)	

Turtles **are slow**. 〈형용사〉 거북이는 느리다.
Turtles **move slowly**. 〈부사〉 거북이는 느리게 움직인다.

The question **is easy**. 〈형용사〉 그 문제는 쉽다.
He **solves** the problem **easily**. 〈부사〉 그는 그 문제를 쉽게 푼다.

The chair **is hard**. 〈형용사〉 그 의자는 딱딱하다.
Study hard. 〈부사〉 열심히 공부해라.

A 다음 밑줄 친 부사가 꾸며주는 말에 동그라미 하세요.

1 They live happily .

2 The weather is very cold.

3 Dohun walks quietly .

4 Ethan dances really well .

5 We eat food slowly .

6 The movie is pretty sad .

7 I don't talk loudly in the library .

★ happily 행복하게
★ weather 날씨
★ very 매우
★ quietly 조용히
★ well 잘
★ slowly 천천히
★ pretty 매우
★ loudly 크게
★ library 도서관
★ drive 운전하다
★ beautiful 아름다운
★ hard 열심히

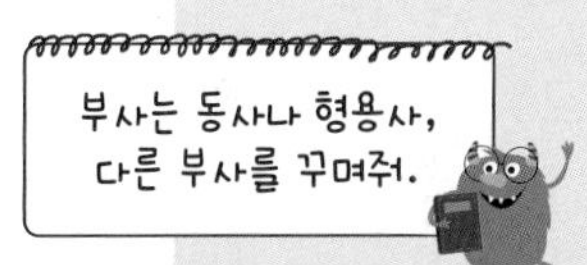

B 다음 주어진 두 단어 중에서 알맞은 것을 고르세요.

1 Angelina swims good well .

2 I eat dinner early earlily .

3 Lucas goes to bed late lately .

4 He doesn't drive fast fastly .

5 My parents work busyly busily .

6 Ana smiles beautiful beautifully .

7 We study English hard hardly .

Unit 8

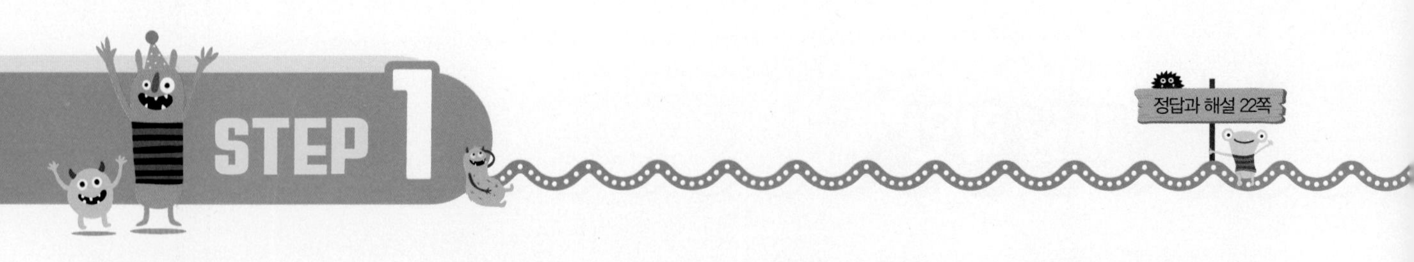

다음 우리말과 뜻이 같도록 주어진 단어를 빈칸에 알맞은 형태로 쓰세요.

1 수지는 아름답게 춤춘다. beautiful

➡ Suzy dances [beautifully].

2 Henry는 그 상자들을 쉽게 옮긴다. easy

➡ Henry moves the boxes [ ].

3 비행기들은 하늘 높이 난다. high

➡ Airplanes fly [ ] in the sky.

4 나는 나의 돈을 현명하게 쓴다. wise

➡ I spend my money [ ].

5 우리는 구멍을 깊게 판다. deep

➡ We dig a hole [ ].

6 그 치타는 빨리 달리고 있니? fast

➡ Is the cheetah running [ ]?

7 나의 어머니는 일찍 출근하신다. early

➡ My mother goes to work [ ].

8 너는 오늘 정말 행복하니? real

➡ Are you [ ] happy today?

9 우리는 식당에서 조용히 이야기한다. quiet

➡ We talk [ ] in the restaurant.

10 너는 아침에 늦게 일어나니? late

➡ Do you get up [ ] in the morning?

★ lunch 점심 식사
★ move 옮기다
★ airplane 비행기
★ spend (돈을) 쓰다
★ dig 파다
★ hole 구멍
★ cheetah 치타
★ go to work 출근하다
★ restaurant 식당
★ get up 일어나다
★ morning 아침

대부분의 부사는 형용사 끝에 -ly를 붙이지만, 형용사와 부사의 형태가 같은 경우도 있으니 주의해야 해.

정답과 해설 22쪽

다음 밑줄 친 부분을 바르게 고쳐 문장을 다시 쓰세요.

1 Lisa is real lazy.

➡ Lisa is really lazy.

2 The teacher speaks loud.

➡

3 I love you verily much.

➡

4 My friends walk slow.

➡

5 The baby is smiling happy.

➡

6 Your uncle works hardly.

➡

7 Mike speaks French good.

➡

8 The bookstore closes earlily.

➡

9 I move the chair careful.

➡

10 My father comes home lately.

➡

★ lazy 게으른
★ speak 말하다
★ much 많이
★ walk 걷다
★ smile 웃다
★ French 프랑스어
★ bookstore 서점
★ close 닫다
★ move 옮기다

형용사와 부사의 형태는 같지만 뜻이 달라지는 경우도 있어.

Unit 8

다음 우리말과 뜻이 같도록 주어진 단어를 배열하세요.
(부사가 동사 뒤에 오도록 쓰세요.)

★ smile 미소 짓다
★ loudly 크게
★ singer 가수
★ kite 연
★ carefully 조심스럽게
★ brightly 밝게
★ shine 빛나다
★ sadly 슬프게
★ kindly 친절하게
★ answer 대답하다
★ fix 고치다
★ easily 쉽게

1 Blake는 아름답게 미소 짓는다.

beautifully | Blake | smiles

➡ Blake smiles beautifully.

2 그 가수는 크게 노래 부른다.

loudly | the | sings | singer

➡

3 연들이 하늘에서 높이 난다.

fly | high | kites | in the sky

➡

4 그녀는 안전하게 운전한다.

drives | she | safely

➡

5 달이 밝게 빛나고 있다.

moon | brightly | the | is shining

➡

6 그 강아지는 나를 슬프게 쳐다본다.

sadly | me | puppy | looks at | the

➡

동사 뒤에 목적어가 있을 때는 목적어 뒤에 부사를 써야 해.

7 나의 선생님은 친절하게 대답하신다.

kindly | teacher | answers | my

➡

8 Tony는 그의 컴퓨터를 쉽게 고친다.

his | fixes | Tony | computer | easily

➡

다음 우리말과 뜻이 같도록 주어진 단어를 사용하여 문장을 쓰세요.

1 달팽이들은 느리게 움직인다. snails move

➡ Snails move slowly.

2 나는 점심을 빨리 먹는다. eat lunch

➡

3 그는 그 퍼즐을 쉽게 푼다. solve the puzzle

➡

4 그 버스는 늦게 도착한다. the bus arrives

➡

5 경찰관들은 바쁘게 일한다. policemen work

➡

6 그 기차는 빠르게 달린다. the train runs

➡

7 그들은 한국어를 정말 잘 한다. speak Korean

➡

8 그 어린이들은 행복하게 미소 짓는다. the children smile

➡

9 나의 부모님은 일찍 주무신다. my parents go to bed

➡

10 Alice는 조용히 문을 닫는다. closes the door

➡

★ snail 달팽이
★ move 움직이다
★ lunch 점심 식사
★ solve 풀다, 해결하다
★ puzzle 퍼즐
★ arrive 도착하다
★ policeman 경찰관
★ train 기차
★ Korean 한국어
★ smile 미소 짓다
★ go to bed 자다
★ close 닫다

부사가 형용사나 다른 부사를 꾸며줄 때는 보통 꾸며주는 말의 앞에 위치해.

Unit 8

빈도부사

1 빈도부사

빈도부사는 어떤 일이 얼마나 자주 일어나는지를 나타내는 말이에요

100%	80~90%	60~70%	40~50%	0%
always	usually	often	sometimes	never
항상	보통, 대개	자주, 종종	가끔, 때때로	절대(결코) ~않는

I **always** eat breakfast. 나는 항상 아침을 먹는다.

He **usually** eats breakfast. 그는 보통 아침을 먹는다.

She **often** eats breakfast. 그녀는 자주 아침을 먹는다.

We **sometimes** eat breakfast. 우리는 가끔 아침을 먹는다.

They **never** eat breakfast. 그들은 절대 아침을 먹지 않는다.

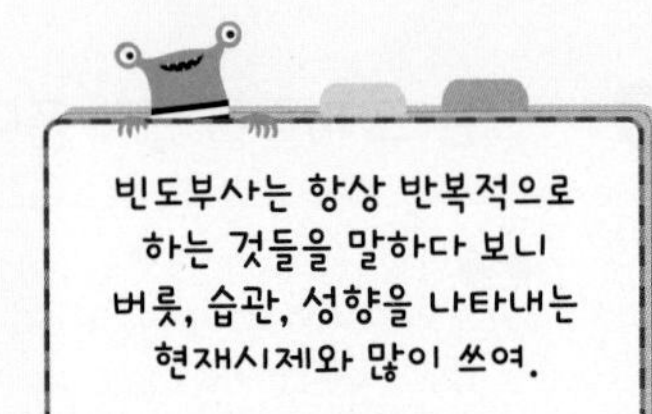

Tip never(절대 ~않는)는 이미 부정의 의미를 포함하고 있기 때문에, not과 함께 쓰지 않아요.

I **never** don't drink coffee. (×)

→ I **never** drink coffee. (O) 나는 절대 커피를 마시지 않는다.

Paul **never** doesn't get up early. (×)

→ Paul **never** gets up early. (O) Paul은 절대 일찍 일어나지 않는다.

2 빈도부사의 위치

빈도부사는 보통 일반동사 앞, be동사나 조동사 뒤에 써요.

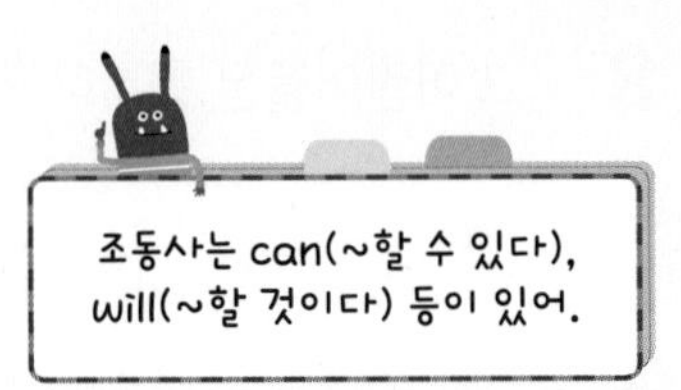

I **always wear** glasses. 나는 항상 안경을 쓴다.

Jenny **usually calls** me. Jenny가 보통 나에게 전화한다.

Nicole **is often** sick. Nicole은 자주 아프다.

You **are sometimes** late. 너는 가끔 늦는다.

They **will never** forget you. 그들은 절대 너를 잊지 않을 것이다.

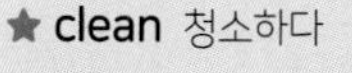

A 다음 밑줄 친 빈도부사의 의미로 알맞은 것을 고르세요.

1 I often clean my room. 자주 / 절대 ~않다

2 They sometimes play with me. 대개 / 때때로

3 Larry usually gets up early. 보통 / 때때로

4 She never drinks coffee. 가끔 / 절대 ~않다

5 Junho often reads books. 항상 / 종종

6 Megan sometimes calls me. 가끔 / 대개

7 I always exercise in the evening. 항상 / 종종

★ clean 청소하다
★ call 전화하다
★ exercise 운동하다
★ evening 저녁
★ get angry 화를 내다
★ miss 그리워 하다
★ badminton 배드민턴
★ after school 방과 후에

B 다음 주어진 단어가 들어갈 알맞은 곳을 고르세요.

1 I ① take ② the bus to work. usually

2 My mother ① gets ② angry. never

3 They ① will ② miss you. always

4 Bomi ① is ② late for school. often

5 We ① will ② go to the restaurant. never

6 Amy and Sandy ① study ② together. usually

7 We ① play ② badminton after school. sometimes

빈도부사는 일반동사의 앞, be동사나 조동사의 뒤에 써.

Unit 8

다음 우리말과 뜻이 같도록 빈칸에 알맞은 빈도부사를 쓰세요.

1 나의 엄마는 종종 저녁 식사를 요리하신다.

➡ My mom [often] cooks dinner.

2 그녀는 절대 호수에서 수영하지 않는다.

➡ She [ ] swims in the lake.

3 나는 항상 나의 아빠를 도와드릴 것이다.

➡ I will [ ] help my dad.

4 Bill과 Kate는 자주 배가 고프다.

➡ Bill and Kate are [ ] hungry.

5 그 버스는 보통 늦게 도착한다.

➡ The bus [ ] arrives late.

6 그는 가끔씩 선글라스를 쓴다.

➡ He [ ] wears sunglasses.

7 우리는 항상 자전거를 타고 학교에 간다.

➡ We [ ] go to school by bicycle.

8 Clark는 밤에 절대 커피를 마시지 않는다.

➡ Clark [ ] drinks coffee at night.

9 Liam은 보통 7시에 일어난다.

➡ Liam [ ] gets up at 7 o'clock.

10 나는 가끔 나의 생일을 잊어버린다.

➡ I [ ] forget my birthday.

★ cook 요리하다
★ dinner 저녁식사
★ lake 호수
★ help 도와주다
★ hungry 배고픈
★ arrive 도착하다
★ sunglasses 선글라스
★ by bicycle 자전거를 타고
★ at night 밤에
★ forget 잊다
★ birthday 생일

빈도부사의 종류를 '100% → 0%' 또는 그 반대의 순서대로 외워두는 것이 좋아.

정답과 해설 23쪽

다음 밑줄 친 부분을 바르게 고쳐 문장을 다시 쓰세요.

1 I do usually homework after dinner.

➡ I usually do homework after dinner.

2 The dog barks sometimes loudly.

➡

3 Dina is late never for school.

➡

4 I always will work hard.

➡

5 She usually is in the library.

➡

6 My brother goes often to the movies.

➡

7 My father comes sometimes home late.

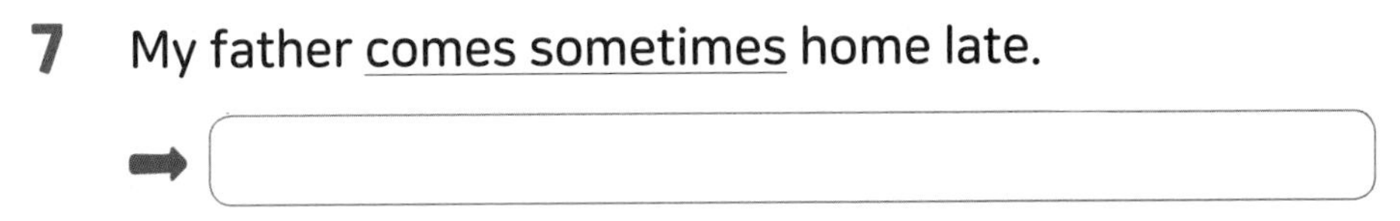

➡

8 You will find never the sweater.

➡

9 I can take always his pictures.

➡

10 She writes often e-mails to her friends.

➡

빈도부사가 can이나 will 같은 조동사와 함께 쓰일 때는 조동사의 뒤에 위치해.

- ★ homework 숙제
- ★ after ~ 후에
- ★ bark 짖다
- ★ loudly 크게
- ★ late 늦은
- ★ library 도서관
- ★ go to the movies 영화를 보러 가다
- ★ find 찾다
- ★ sweater 스웨터
- ★ take pictures 사진을 찍다
- ★ write 쓰다

Unit 8

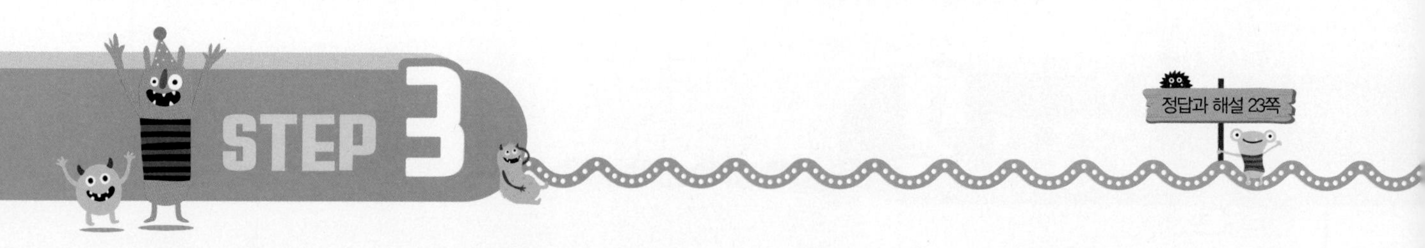

다음 주어진 빈도부사를 알맞은 위치에 넣어 문장을 다시 쓰세요.

1 Joan gets up early. often
➡ Joan often gets up early.

2 I drink warm water. usually
➡

3 My brother is busy. always
➡

4 David goes to the dentist. never
➡

5 Brian reads comic books. sometimes
➡

6 We play basketball after school. usually
➡

7 Grace goes shopping with her dad. often
➡

8 She will play the piano at night. never
➡

9 My sister eats breakfast. always
➡

10 I read the newspaper in the morning. sometimes
➡

★ get up 일어나다
★ warm 따뜻한
★ busy 바쁜
★ go to the dentist 치과에 가다
★ comic book 만화책
★ basketball 농구
★ go shopping 쇼핑하러 가다
★ breakfast 아침 식사
★ newspaper 신문

빈도부사의 위치에 주의하고, 주어가 3인칭 단수일 때 동사도 3인칭 단수로 쓰는 것을 기억해.

다음 우리말과 뜻이 같도록 주어진 단어를 사용하여 문장을 쓰세요.

1 그는 보통 매우 친절하다. very friendly

➡ He is usually very friendly.

2 나는 절대 늦게 자지 않는다. go to bed late

➡

3 너의 쿠키는 항상 맛있다. cookies delicious

➡

4 Paul은 자주 테니스를 친다. plays tennis

➡

5 나는 가끔 일기를 쓴다. write a diary

➡

6 Ben은 항상 파란 양말을 신는다. wears blue socks

➡

7 Kelly는 보통 아침에 운동을 한다. exercises in the morning

➡

8 그는 종종 그의 사촌들을 만난다. meets his cousins

➡

9 나는 가끔 할머니께 전화 드린다. call my grandmother

➡

10 Olivia는 절대 밤에 운전하지 않는다. drives at night

➡

- ★ friendly 친절한
- ★ go to bed 자다
- ★ delicious 맛있는
- ★ diary 일기
- ★ exercise 운동하다
- ★ meet 만나다
- ★ cousin 사촌
- ★ grandmother 할머니
- ★ drive 운전하다
- ★ at night 밤에

빈도부사는 일반동사 앞,
be동사나 조동사의 뒤에 써.

Unit 8

실전 테스트

1 **다음 형용사와 부사가 바르게 짝지어지지 않은 것을 고르세요.**

① busy — busily
② hard — hard
③ slow — slowly
④ fast — fastly
⑤ careful — carefully

★ busy 바쁜
★ slow 느린
★ careful 조심스러운

[2~3] 다음 밑줄 친 부분이 부사가 아닌 것을 고르세요.

2
① I get up late.
② He sings well.
③ This dress is pretty.
④ The nurse is very kind.
⑤ Do you really like her?

★ well 잘
★ very 매우
★ really 정말

3
① This chair is hard.
② My sister runs fast.
③ She comes home early.
④ Mike and Sam talk loudly.
⑤ Ann plays the piano beautifully.

★ loudly 시끄럽게
★ beautifully 아름답게

4 **다음 빈칸에 들어갈 말로 알맞지 않은 것을 고르세요.**

She talks ___________.

① fast
② loudly
③ softly
④ good
⑤ slowly

★ fast 빠르게
★ softly 부드럽게

정답과 해설 24쪽

5 **다음 문장에서 usually가 들어갈 알맞은 위치를 고르세요.**

My ① friends ② play ③ soccer ④ after ⑤ school.

★ play soccer 축구를 하다
★ after school 방과 후에

[6~7] 다음 밑줄 친 부분이 잘못 쓰인 것을 고르세요.

6
① Paul swims well.
② Ann gets up early.
③ The frog can jump highly.
④ My mom never eats breakfast.
⑤ He usually exercises in the morning.

★ frog 개구리
★ jump 뛰다
★ breakfast 아침 식사
★ exercise 운동하다

7
① I am never lazy.
② They often go to the park.
③ She draws pictures very well.
④ He sometimes is late for school.
⑤ My sister always eats vegetables.

★ lazy 게으른
★ park 공원
★ draw 그리다
★ picture 그림
★ vegetable 채소

8 **다음 빈칸에 공통으로 들어갈 말로 알맞은 것을 고르세요.**

• The bus is ________ today.
• He always gets up ________.

★ today 오늘

① well
② late
③ easily
④ usually
⑤ lately

서술형

[9~12] 다음 우리말과 뜻이 같도록 주어진 단어를 사용하여 문장을 완성하세요.

9

우리는 종종 노래를 듣는다. listen

➡ We ______ to the radio.

★ listen to ~를 듣다

10

그 군인은 절대 웃지 않는다. smiles

➡ The soldier ______.

★ soldier 군인
★ smile 웃다

11

나의 수업은 보통 오전 10시에 시작한다. starts

➡ My class ______ at 10 a.m.

★ class 수업
★ start 시작하다

12

Clara와 Jenny는 항상 학교에 걸어간다. walk

➡ Clara and Jenny ______ to school.

★ walk 걸어가다

쓰면서 강해지는

초등 영문법 2

WORKBOOK

단어 LIST

Unit 1 일반동사의 현재형

다음 단어의 뜻을 확인하고, 세 번씩 따라 써보세요.

1 cry 울다	cry 울다		
2 ride 타다			
3 bank 은행			
4 pass 통과하다			
5 history 역사			
6 stay 머무르다			
7 bicycle 자전거			
8 science 과학			
9 nickname 별명			
10 test 시험			

다음 단어의 뜻을 확인하고, 세 번씩 따라 써보세요.

11 learn 배우다	learn 배우다		
12 candle 양초			
13 daughter 딸			
14 miss 그리워하다			
15 bathroom 화장실			
16 finish 끝나다, 끝내다			
17 fix 고치다			
18 catch 잡다			
19 outside 밖에(서)			
20 grandfather 할아버지			

단어 TEST Unit 1 일반동사의 현재형

공부한 날짜: ______ 월 ______ 일

내가 맞춘 문제: ______ 개 / 20

정답과 해설 25쪽

다음 우리말 뜻에 맞는 영어 단어를 쓰세요.

1 울다

2 타다

3 은행

4 통과하다

5 역사

6 머무르다

7 자전거

8 과학

9 별명

10 시험

다음 영어 단어의 우리말 뜻을 쓰세요.

11 learn

12 candle

13 daughter

14 miss

15 bathroom

16 finish

17 fix

18 catch

19 outside

20 grandfather

해석 TEST Unit 1 일반동사의 현재형

공부한 날짜: ______ 월 ______ 일

내가 맞춘 문제: ______ 개 / 10

정답과 해설 25쪽

다음 영어 문장의 우리말 뜻을 쓰세요.

1 I help my mother.

➡ 나는 나의 엄마를 도와드린다.

2 He rides a bicycle.

➡ ______________________

3 We know his name.

➡ ______________________

4 She studies English.

➡ ______________________

5 You buy a candle.

➡ ______________________

6 Tony goes to the bank.

➡ ______________________

7 Sam cleans the bathroom.

➡ ______________________

8 They learn Chinese every day.

➡ ______________________

9 He passes every test.

➡ ______________________

10 It finishes at 9 o'clock.

➡ ______________________

영작 TEST ① Unit 1 일반동사의 현재형

공부한 날짜: ________ 월 ________ 일　　내가 맞춘 문제: ________ 개 / 10

정답과 해설 25쪽

다음 우리말과 뜻이 같도록 주어진 단어를 사용하여 영어로 문장을 쓰세요. (필요하면 단어의 형태를 바꾸세요.)

1 너는 쿠키를 만든다. make cookies

➡ You make cookies.

2 그 연은 높이 난다. kite fly high

➡ ____________________

3 Sally는 세차를 한다. wash her car

➡ ____________________

4 그는 그의 삶을 즐긴다. enjoy his life

➡ ____________________

5 우리는 바지를 입는다. wear pants

➡ ____________________

6 그들은 음식을 운반한다. carry food

➡ ____________________

7 나는 음악을 듣는다. listen to music

➡ ____________________

8 그녀는 지우개가 하나 필요하다. need an eraser

➡ ____________________

9 그들은 바나나를 좋아한다. like bananas

➡ ____________________

10 Jenny는 과학을 가르친다. teach science

➡ ____________________

공부한 날짜: ______ 월 ______ 일　　내가 맞춘 문제: ______ 개 / 10

정답과 해설 25쪽

다음 우리말과 뜻이 같도록 영어로 문장을 쓰세요.

1 나의 고양이들은 생선을 좋아한다.

➡ My cats like fish.

2 내 딸은 그들을 안다.

➡ ______________________________

3 Joe는 그의 자전거를 고친다.

➡ ______________________________

4 그들은 역사를 배운다.

➡ ______________________________

5 Jake는 그것들을 잡는다.

➡ ______________________________

6 Kevin은 별명이 하나 있다.

➡ ______________________________

7 우리는 양초들이 필요하다.

➡ ______________________________

8 그녀의 개는 밖에 머문다.

➡ ______________________________

9 나는 나의 할아버지가 그립다.

➡ ______________________________

10 나의 아들은 매일 운다.

➡ ______________________________

단어 LIST Unit 2 일반동사 현재형의 부정문

다음 단어의 뜻을 확인하고, 세 번씩 따라 써보세요.

1 bug 벌레	bug 벌레		
2 math 수학			
3 move 움직이다			
4 lizard 도마뱀			
5 chess 체스			
6 brother 남자 형제			
7 snowman 눈사람			
8 cross 건너다			
9 hate 싫어하다			
10 noodle 국수			

단어 LIST

Unit 2 일반동사 현재형의 부정문

다음 단어의 뜻을 확인하고, 세 번씩 따라 써보세요.

단어			
11 cap 모자	cap 모자		
12 hand 손			
13 diary 일기			
14 rabbit 토끼			
15 bark 짖다			
16 street 길, 거리			
17 class 수업			
18 hockey 하키			
19 vegetable 채소			
20 understand 이해하다			

단어 TEST Unit 2 일반동사 현재형의 부정문

공부한 날짜: ________ 월 ________ 일　　내가 맞춘 문제: ________ 개 / 20

정답과 해설 26쪽

다음 우리말 뜻에 맞는 영어 단어를 쓰세요.

1 벌레

2 수학

3 움직이다

4 도마뱀

5 체스

6 남자 형제

7 눈사람

8 건너다

9 싫어하다

10 국수

다음 영어 단어의 우리말 뜻을 쓰세요.

11 cap

12 hand

13 diary

14 rabbit

15 bark

16 street

17 class

18 hockey

19 vegetable

20 understand

해석 TEST Unit 2 일반동사 현재형의 부정문

공부한 날짜: ______ 월 ______ 일 　　 내가 맞춘 문제: ______ 개 / 10

정답과 해설 26쪽

다음 영어 문장의 우리말 뜻을 쓰세요.

1 I do not play chess.

➡ 나는 체스를 두지 않는다.

2 Amy doesn't make a snowman.

➡ ______

3 He doesn't cross the street.

➡ ______

4 Rabbits do not eat meat.

➡ ______

5 She doesn't keep a diary.

➡ ______

6 Liam does not eat noodles.

➡ ______

7 They don't play the guitar.

➡ ______

8 Sarah does not like lizards.

➡ ______

9 My sister does not drink coffee.

➡ ______

10 We don't have a math class today.

➡ ______

영작 TEST ① Unit 2 일반동사 현재형의 부정문

공부한 날짜: ________ 월 ________ 일　　　내가 맞춘 문제: ________ 개 / 10

정답과 해설 26쪽

다음 우리말과 뜻이 같도록 주어진 단어를 사용하여 영어로 문장을 쓰세요.

1 우리는 캠핑을 가지 않는다. go camping

➡ We don't[do not] go camping.

2 Linda는 사진을 찍지 않는다. take pictures

➡ ____________________

3 그는 남자 형제가 없다. have a brother

➡ ____________________

4 나는 모자를 쓰지 않는다. wear a cap

➡ ____________________

5 그것은 빨리 움직이지 않는다. move fast

➡ ____________________

6 너는 과학을 공부하지 않는다. study science

➡ ____________________

7 Paul은 서울에 살지 않는다. live in Seoul

➡ ____________________

8 그녀는 내 이름을 기억하지 못한다. remember name

➡ ____________________

9 그들은 그녀의 전화번호를 모른다. know phone number

➡ ____________________

10 그 버스는 여기에 서지 않는다. the bus stop here

➡ ____________________

공부한 날짜: ______ 월 ______ 일 내가 맞춘 문제: ______ 개 / 10

정답과 해설 26쪽

다음 우리말과 뜻이 같도록 영어로 문장을 쓰세요.

1 나는 펜을 가지고 있지 않다.

➡ I don't[do not] have a pen.

2 Mike는 그녀를 도와주지 않는다.

➡ ______

3 나의 개는 짖지 않는다.

➡ ______

4 우리는 하키를 하지 않는다.

➡ ______

5 Lisa는 우유를 마시지 않는다.

➡ ______

6 이 도마뱀은 움직이지 않는다.

➡ ______

7 내 친구들은 그들의 손을 씻지 않는다.

➡ ______

8 그는 채소들을 먹지 않는다.

➡ ______

9 너는 벌레들을 싫어하지 않는다.

➡ ______

10 Kelly는 나를 이해하지 않는다.

➡ ______

단어 LIST

Unit 3 일반동사 현재형의 의문문

다음 단어의 뜻을 확인하고, 세 번씩 따라 써보세요.

1 grow 기르다	grow 기르다		
2 address 주소			
3 sell 팔다			
4 cousin 사촌			
5 jog 조깅하다			
6 scissors 가위			
7 snack 간식			
8 together 함께			
9 soccer 축구			
10 newspaper 신문			

단어 LIST

Unit 3 일반동사 현재형의 의문문

다음 단어의 뜻을 확인하고, 세 번씩 따라 써보세요.

단어			
11 **French** 프랑스어	French 프랑스어		
12 **movie** 영화			
13 **smell** 냄새가 나다			
14 **hair** 머리카락			
15 **watch** 보다, 시청하다			
16 **baseball** 야구			
17 **travel** 여행하다			
18 **penguin** 펭귄			
19 **seafood** 해산물			
20 **breakfast** 아침 식사			

단어 TEST Unit 3 일반동사 현재형의 의문문

공부한 날짜: ________ 월 ________ 일

내가 맞춘 문제: ________ 개 / 20

정답과 해설 27쪽

다음 우리말 뜻에 맞는 영어 단어를 쓰세요.

1 기르다

2 주소

3 팔다

4 사촌

5 조깅하다

6 가위

7 간식

8 함께

9 축구

10 신문

다음 영어 단어의 우리말 뜻을 쓰세요.

11 French

12 movie

13 smell

14 hair

15 watch

16 baseball

17 travel

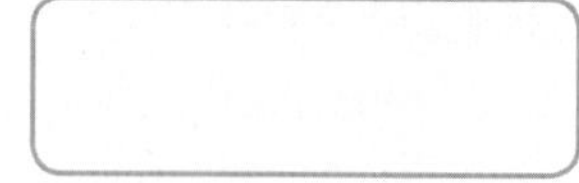

18 penguin

19 seafood

20 breakfast

일반동사 현재형의 의문문

공부한 날짜: ______ 월 ______ 일

내가 맞춘 문제: ______ 개 / 10

정답과 해설 27쪽

다음 영어 문장의 우리말 뜻을 쓰세요.

1 Do you know Tommy?

➡ 너는 Tommy를 아니?

2 Does Eric have short hair?

➡ ______

3 Do the boys eat snacks?

➡ ______

4 Does the flower smell good?

➡ ______

5 Do they paly soccer?

➡ ______

6 Does the store sell toys?

➡ ______

7 Do you read a newspaper?

➡ ______

8 Does she jog in the morning?

➡ ______

9 Do you watch a movie?

➡ ______

10 Does the bus go to the airport?

➡ ______

영작 TEST ① Unit 3 일반동사 현재형의 의문문

공부한 날짜: ______ 월 ______ 일 　　내가 맞춘 문제: ______ 개 / 10

정답과 해설 27쪽

다음 우리말과 뜻이 같도록 주어진 단어를 사용하여 영어로 문장을 쓰세요.

1 그것은 높이 나니? fly high

➡ Does it fly high?

2 너는 새로운 장난감들을 원하니? want　new toys

➡ ______

3 Tom은 컴퓨터를 사용하니? use　a computer

➡ ______

4 그들은 안경을 쓰니? wear　glasses

➡ ______

5 John은 London에 사니? live　in London

➡ ______

6 너는 그녀의 생일을 아니? know　birthday

➡ ______

7 우리는 설탕이 필요하니? need　sugar

➡ ______

8 Emily는 바이올린을 연주하니? play　the violin

➡ ______

9 그녀는 큰 눈을 가졌니? have　big eyes

➡ ______

10 Ron과 Grace는 채소들을 기르니? grow　vegetables

➡ ______

영작 TEST ② Unit 3 일반동사 현재형의 의문문

😊 공부한 날짜: ________ 월 ________ 일　　😊 내가 맞춘 문제: ________ 개 / 10

✎ 정답과 해설 27쪽

다음 우리말과 뜻이 같도록 영어로 문장을 쓰세요.

1 그녀는 프랑스어를 배우니?

➡ Does she learn French?

2 우리는 물이 필요하니?

➡ ____________________

3 너희는 야구를 하니?

➡ ____________________

4 Cathy는 그녀의 사촌을 만나니?

➡ ____________________

5 너는 내 주소를 아니?

➡ ____________________

6 너의 언니는 가위가 필요하니?

➡ ____________________

7 그들은 함께 여행하니?

➡ ____________________

8 Tom은 펭귄들을 좋아하니?

➡ ____________________

9 Kate와 Eva는 아침을 먹니?

➡ ____________________

10 그는 해산물을 좋아하니?

➡ ____________________

단어 LIST

Unit 4 현재진행형

다음 단어의 뜻을 확인하고, 세 번씩 따라 써보세요.

1 cut 자르다	cut 자르다		
2 tie 묶다			
3 beach 해변			
4 yell 소리치다			
5 friend 친구			
6 carry 나르다			
7 plan 계획하다			
8 stand 서 있다			
9 laugh 웃다			
10 shoelace 신발 끈			

단어 LIST Unit 4 현재진행형

다음 단어의 뜻을 확인하고, 세 번씩 따라 써보세요.

11 **lie** 눕다	lie 눕다		
12 **trip** 여행			
13 **carrot** 당근			
14 **gloves** 장갑			
15 **ring** (벨이) 울리다			
16 **cook** 요리하다			
17 **wait** 기다리다			
18 **phone** 전화기			
19 **straight** 똑바로			
20 **classroom** 교실			

단어 TEST Unit 4 현재진행형

공부한 날짜: ________ 월 ________ 일　　내가 맞춘 문제: ________ 개 / 20

정답과 해설 28쪽

다음 우리말 뜻에 맞는 영어 단어를 쓰세요.

1 자르다

2 묶다

3 해변

4 소리치다

5 친구

6 나르다

7 계획하다

8 서 있다

9 웃다

10 신발 끈

다음 영어 단어의 우리말 뜻을 쓰세요.

11 lie

12 trip

13 carrot

14 gloves

15 ring

16 cook

17 wait

18 phone

19 straight

20 classroom

해석 TEST Unit 4 현재진행형

공부한 날짜: ______ 월 ______ 일 　　 내가 맞춘 문제: ______ 개 / 10

정답과 해설 28쪽

다음 영어 문장의 우리말 뜻을 쓰세요.

1 Are they sleeping now?

➡ 그들은 지금 자고 있니?

2 You aren't writing a letter.

➡ ______

3 Tim is lying on the sofa.

➡ ______

4 Am I standing straight?

➡ ______

5 She is waiting for the bus.

➡ ______

6 I am planning a trip now.

➡ ______

7 They aren't eating sandwiches.

➡ ______

8 Is Joan meeting her parents?

➡ ______

9 Paul isn't running on the beach.

➡ ______

10 The horses are eating carrots.

➡ ______

영작 TEST ① Unit 4 현재진행형

공부한 날짜: ______ 월 ______ 일   내가 맞춘 문제: ______ 개 / 10

정답과 해설 28쪽

**다음 우리말과 뜻이 같도록 주어진 단어를 사용하여 영어로 문장을 쓰세요.
(필요하면 단어의 형태를 바꾸고, 줄임형으로 쓰지 마세요.)**

1 그녀는 차를 고치고 있다. fix / a car

➡ She is fixing a car.

2 그들은 저녁을 먹고 있지 않다. have / dinner

➡ ______________________

3 Eddy는 양치를 하고 있니? brush / his teeth

➡ ______________________

4 Laura는 신발 끈을 묶고 있다. tie / her shoelaces

➡ ______________________

5 우리는 침대 위에서 뛰고 있다. jump / on the bed

➡ ______________________

6 너는 너의 숙제를 하고 있니? do / your homework

➡ ______________________

7 나는 기타를 치고 있지 않다. play / the guitar

➡ ______________________

8 너는 자전거를 타고 있다. ride / a bicycle

➡ ______________________

9 Jenny는 세수를 하고 있지 않다. wash / her face

➡ ______________________

10 Matt은 호수에서 수영을 하고 있니? swim / in the lake

➡ ______________________

영작 TEST ② Unit 4 현재진행형

공부한 날짜: ______ 월 ______ 일 내가 맞춘 문제: ______ 개 / 10

정답과 해설 28쪽

다음 우리말과 뜻이 같도록 영어로 문장을 쓰세요. (줄임형으로 쓰지 마세요.)

1 나는 물을 마시고 있다.

➡ I am drinking water.

2 Rachel은 소리치고 있지 않다.

➡ ______

3 너의 남동생은 요리하고 있니?

➡ ______

4 그들은 지금 웃고 있다.

➡ ______

5 그는 장갑을 끼고 있지 않다.

➡ ______

6 그는 그의 교실을 청소하고 있다.

➡ ______

7 Brian은 치즈를 자르고 있니?

➡ ______

8 그들은 저 상자들을 나르고 있지 않다.

➡ ______

9 너는 너의 친구를 도와주고 있니?

➡ ______

10 이 전화기는 울리고 있지 않다.

➡ ______

단어 LIST

Unit 5 형용사

다음 단어의 뜻을 확인하고, 세 번씩 따라 써보세요.

1 hat 모자	hat 모자		
2 grade 학년			
3 neck 목			
4 kind 친절한			
5 brown 갈색의			
6 teach 가르치다			
7 doctor 의사			
8 old 오래된			
9 popular 인기 있는			
10 birthday 생일			

단어 LIST Unit 5 형용사

다음 단어의 뜻을 확인하고, 세 번씩 따라 써보세요.

11 **leg** 다리	leg 다리		
12 **long** (길이가) 긴			
13 **singer** 가수			
14 **cloudy** 흐린			
15 **towel** 수건			
16 **purple** 보라색의			
17 **floor** (건물의) 층			
18 **young** 어린			
19 **healthy** 건강한			
20 **student** 학생			

단어 TEST Unit 5 형용사

공부한 날짜: ______ 월 ______ 일　　내가 맞춘 문제: ______ 개 / 20

정답과 해설 29쪽

다음 우리말 뜻에 맞는 영어 단어를 쓰세요.

1 모자

2 학년

3 목

4 친절한

5 갈색의

6 가르치다

7 의사

8 오래된

9 인기 있는

10 생일

다음 영어 단어의 우리말 뜻을 쓰세요.

11 leg

12 long

13 singer

14 cloudy

15 towel

16 purple

17 floor

18 young

19 healthy

20 student

해석 TEST Unit 5 형용사

공부한 날짜: ______ 월 ______ 일　　　내가 맞춘 문제: ______ 개 / 10

정답과 해설 29쪽

다음 영어 문장의 우리말 뜻을 쓰세요.

1 I hate a cloudy day.

➡ 나는 흐린 날을 싫어한다.

2 This is your new bag.

➡ ______________________

3 Today is my tenth birthday.

➡ ______________________

4 This towel is dirty.

➡ ______________________

5 That pink ribbon is mine.

➡ ______________________

6 Their legs are short.

➡ ______________________

7 Ted is eleven years old.

➡ ______________________

8 The young students are smart.

➡ ______________________

9 Debby is in the second grade.

➡ ______________________

10 Her baby is healthy.

➡ ______________________

영작 TEST ① Unit 5 형용사

공부한 날짜: ______ 월 ______ 일　　내가 맞춘 문제: ______ 개 / 10

정답과 해설 29쪽

다음 우리말과 뜻이 같도록 주어진 단어를 사용하여 영어로 문장을 쓰세요.

1 그는 첫 번째 선수이다. player

➡ He is[He's] the first player.

2 그 소방관은 용감하다. the firefighter　brave

➡ ______

3 그들은 7층에 산다. live on　floor

➡ ______

4 나는 다섯 개의 가방을 가지고 있다. have　bags

➡ ______

5 이 파란색 양말은 너의 것이다. blue　socks

➡ ______

6 그 질문은 어렵다. the question　difficult

➡ ______

7 저 배우들은 잘생겼다. the actors　handsome

➡ ______

8 그녀는 화창한 날들을 좋아한다. likes　sunny　days

➡ ______

9 우리는 그의 무거운 탁자를 옮긴다. move　heavy　table

➡ ______

10 Linda는 신선한 사과 주스를 마신다. drinks　fresh　apple juice

➡ ______

영작 TEST ② Unit 5 형용사

공부한 날짜: ________ 월 ________ 일 　　 내가 맞춘 문제: ________ 개 / 10

정답과 해설 29쪽

다음 우리말과 뜻이 같도록 영어로 문장을 쓰세요.

1 너의 머리카락은 갈색이다.

➡ Your hair is brown.

2 Susan은 나의 오래된 친구이다.

➡ ____________________

3 나는 두 명의 자매가 있다.

➡ ____________________

4 그들은 친절한 의사들이다.

➡ ____________________

5 저 검은 고양이는 나의 것이다.

➡ ____________________

6 그들의 목은 길다.

➡ ____________________

7 Jimmy는 그녀의 네 번째 아들이다.

➡ ____________________

8 나는 이 보라색 모자들을 원한다.

➡ ____________________

9 저 가수들은 유명하다.

➡ ____________________

10 그녀는 3학년을 가르친다.

➡ ____________________

단어 LIST Unit 6 수량 형용사 (1)

다음 단어의 뜻을 확인하고, 세 번씩 따라 써보세요.

1 coin 동전	coin 동전		
2 shirt 셔츠			
3 napkin 냅킨			
4 answer 답			
5 weekend 주말			
6 jeans 청바지			
7 sharp 날카로운			
8 laundry 빨래			
9 magazine 잡지			
10 remember 기억하다			

단어 LIST

Unit 6 수량 형용사 (1)

다음 단어의 뜻을 확인하고, 세 번씩 따라 써보세요.

11 bread 빵	bread 빵		
12 toy 장난감			
13 knife 칼			
14 help 도움			
15 winter 겨울			
16 insect 곤충			
17 sport 운동, 경기			
18 clean 청소하다			
19 question 질문			
20 restroom 화장실			

단어 TEST Unit 6 수량 형용사 (1)

공부한 날짜: ______ 월 ______ 일　　내가 맞춘 문제: ______ 개 / 20

정답과 해설 30쪽

다음 우리말 뜻에 맞는 영어 단어를 쓰세요.

1 동전

2 셔츠

3 냅킨

4 답

5 주말

6 청바지

7 날카로운

8 빨래

9 잡지

10 기억하다

다음 영어 단어의 우리말 뜻을 쓰세요.

11 bread

12 toy

13 knife

14 help

15 winter

16 insect

17 sport

18 clean

19 question

20 restroom

해석 TEST Unit 6 수량 형용사 (1)

공부한 날짜: ________ 월 ________ 일　　　내가 맞춘 문제: ________ 개 / 10

정답과 해설 30쪽

다음 영어 문장의 우리말 뜻을 쓰세요.

1 All babies are cute.

➡ 모든 아기들은 귀엽다.

2 She needs some salt.

➡ ______________________

3 Every boy wears jeans.

➡ ______________________

4 Would you like some pizza?

➡ ______________________

5 All the windows are small.

➡ ______________________

6 Mason wants some toys.

➡ ______________________

7 He does the laundry every night.

➡ ______________________

8 Kate doesn't buy any shirts.

➡ ______________________

9 Do you have any questions?

➡ ______________________

10 I know every teacher in my school.

➡ ______________________

영작 TEST ① Unit 6 수량 형용사 (1)

공부한 날짜: ______ 월 ______ 일　　내가 맞춘 문제: ______ 개 / 10

정답과 해설 30쪽

다음 우리말과 뜻이 같도록 some 또는 all을 사용하여 문장을 쓰세요. (필요하면 단어의 형태를 바꾸세요.)

1 내가 물을 좀 마셔도 될까? drink water

➡ Can I drink some water?

2 그들은 종이를 좀 산다. buy paper

➡ ______

3 William은 모든 스포츠를 좋아한다. likes sport

➡ ______

4 우리는 몇 장의 사진을 찍는다. take picture

➡ ______

5 모든 학생들은 가방을 가지고 있다. student bags

➡ ______

6 너는 도넛을 좀 원하니? want doughnut

➡ ______

7 그녀는 몇몇 선수들을 안다. knows player

➡ ______

8 그는 모든 답을 기억한다. remembers answer

➡ ______

9 곰들은 겨울 내내 잔다. bears sleep winter

➡ ______

10 모든 거미들은 여덟 개의 다리를 가지고 있다. spider have legs

➡ ______

영작 TEST ② Unit 6 수량 형용사 (1)

공부한 날짜: ____ 월 ____ 일　　내가 맞춘 문제: ____ 개 / 10

정답과 해설 30쪽

다음 우리말과 뜻이 같도록 any 또는 every를 사용하여 문장을 쓰세요. (부정문은 줄임형으로 쓰세요.)

1 너는 도움이 좀 필요하니?

➡ Do you need any help?

2 모든 곤충은 여섯 개의 다리가 있다.

➡ ____________________

3 그녀는 냅킨이 전혀 없다.

➡ ____________________

4 모든 칼은 날카롭다.

➡ ____________________

5 그는 동전이 좀 있니?

➡ ____________________

6 Sara는 모든 학생을 기억한다.

➡ ____________________

7 James는 빵을 조금도 사지 않는다.

➡ ____________________

8 우리는 모든 창문을 청소한다.

➡ ____________________

9 그들은 잡지를 전혀 읽지 않는다.

➡ ____________________

10 나는 주말마다 내 친구들을 만난다.

➡ ____________________

단어 LIST

Unit 7 수량 형용사 (2)

다음 단어의 뜻을 확인하고, 세 번씩 따라 써보세요.

단어			
1 save 저금하다	save 저금하다		
2 use 사용하다			
3 salt 소금			
4 flour 밀가루			
5 borrow 빌리다			
6 clothes 옷			
7 novel 소설			
8 picture 사진, 그림			
9 country 나라			
10 notebook 공책			

단어 LIST Unit 7 수량 형용사 (2)

다음 단어의 뜻을 확인하고, 세 번씩 따라 써보세요.

단어			
11 peach 복숭아	peach 복숭아		
12 bottle 병			
13 store 가게, 상점			
14 invite 초대하다			
15 spend 돈을 쓰다			
16 read 읽다			
17 visit 방문하다			
18 factory 공장			
19 shampoo 샴푸			
20 homework 숙제			

단어 TEST Unit 7 수량 형용사 (2)

공부한 날짜: ______ 월 ______ 일 　 내가 맞춘 문제: ______ 개 / 20

정답과 해설 31쪽

다음 우리말 뜻에 맞는 영어 단어를 쓰세요.

1 저금하다

2 사용하다

3 소금

4 밀가루

5 빌리다

6 옷

7 소설

8 사진, 그림

9 나라

10 공책

다음 영어 단어의 우리말 뜻을 쓰세요.

11 peach

12 bottle

13 store

14 invite

15 spend

16 read

17 visit

18 factory

19 shampoo

20 homework

해석 TEST Unit 7 수량 형용사 (2)

공부한 날짜: ______ 월 ______ 일　　내가 맞춘 문제: ______ 개 / 10

정답과 해설 31쪽

다음 영어 문장의 우리말 뜻을 쓰세요.

1 A little milk is in the bottle.

➡ 병에 약간의 우유가 있다.

2 The house has few windows.

➡ ______________________

3 Do you read lots of books?

➡ ______________________

4 Does he take many pictures?

➡ ______________________

5 They don't spend much money.

➡ ______________________

6 She borrows a few pens.

➡ ______________________

7 I have little homework.

➡ ______________________

8 Suji doesn't need many notebooks.

➡ ______________________

9 The store doesn't sell much honey.

➡ ______________________

10 The factory makes a lot of clothes.

➡ ______________________

공부한 날짜: ______ 월 ______ 일　　내가 맞춘 문제: ______ 개 / 10

정답과 해설 31쪽

다음 우리말과 뜻이 같도록 many나 much를 사용하여 문장을 쓰세요. (필요하면 단어의 형태를 바꾸고, 부정문은 줄임형으로 쓰세요.)

1 Alex는 많은 편지를 쓰지 않는다. write letter

➡ Alex doesn't write many letters.

2 너는 많은 닭고기를 먹지 않는다. eat chicken

➡ ______

3 그들은 많은 시간이 없다. have time

➡ ______

4 우리는 많은 동물들을 본다. see animal

➡ ______

5 그는 많은 샴푸를 쓰지 않는다. use shampoo

➡ ______

6 나는 많은 목걸이를 가지고 있다. have necklace

➡ ______

7 그는 많은 질문을 하니? ask question

➡ ______

8 우리는 많은 설탕이 필요하지 않다. need sugar

➡ ______

9 Chris는 많은 종이를 사용하지 않는다. use paper

➡ ______

10 나는 많은 재미있는 이야기를 알고 있다. know interesting story

➡ ______

공부한 날짜: ________ 월 ________ 일　　내가 맞춘 문제: ________ 개 / 10

정답과 해설 31쪽

다음 우리말과 뜻이 같도록 (a) few나 (a) little을 사용하여 문장을 쓰세요.

1 우리는 몇 개의 복숭아를 산다.

➡ We buy a few peaches.

2 Jenny는 커피를 거의 마시지 않는다.

➡ ________________

3 나는 소설을 거의 읽지 않는다.

➡ ________________

4 그녀는 밀가루가 좀 필요하다.

➡ ________________

5 그는 몇 명의 친구들을 초대한다.

➡ ________________

6 그들은 돈을 거의 저금하지 않는다.

➡ ________________

7 그는 몇몇 나라들을 방문한다.

➡ ________________

8 Harry는 소금을 거의 사용하지 않는다.

➡ ________________

9 나는 만화책을 거의 빌리지 않는다.

➡ ________________

10 Peter는 숙제가 조금 있다.

➡ ________________

단어 LIST

Unit 8 부사

다음 단어의 뜻을 확인하고, 세 번씩 따라 써보세요.

1 well 잘	well 잘		
2 smile 미소 짓다			
3 early 일찍			
4 work 일하다			
5 always 항상			
6 often 자주, 종종			
7 quietly 조용히			
8 happily 행복하게			
9 pretty 매우, 예쁜			
10 bookstore 서점			

단어 LIST Unit 8 부사

다음 단어의 뜻을 확인하고, 세 번씩 따라 써보세요.

11 **close** 닫다	close 닫다		
12 **never** 절대 ~ 않는			
13 **arrive** 도착하다			
14 **really** 정말			
15 **busily** 바쁘게			
16 **walk** 걷다			
17 **forget** 잊다			
18 **slowly** 느리게, 천천히			
19 **usually** 보통, 대개			
20 **sometimes** 가끔, 때때로			

단어 TEST Unit 8 부사

공부한 날짜: ______ 월 ______ 일   내가 맞춘 문제: ______ 개 / 20

정답과 해설 32쪽

다음 우리말 뜻에 맞는 영어 단어를 쓰세요.

1 잘

2 미소 짓다

3 일찍

4 일하다

5 항상

6 자주, 종종

7 조용히

8 행복하게

9 매우, 예쁜

10 서점

다음 영어 단어의 우리말 뜻을 쓰세요.

11 close

12 never

13 arrive

14 really

15 busily

16 walk

17 forget

18 slowly

19 usually

20 sometimes

해석 TEST Unit 8 부사

공부한 날짜: ______ 월 ______ 일 내가 맞춘 문제: ______ 개 / 10

정답과 해설 32쪽

다음 영어 문장의 우리말 뜻을 쓰세요.

1 Birds fly high.

➡ 새들은 높이 난다.

2 I often clean my room.

➡ ______

3 Mike runs very fast.

➡ ______

4 My teacher is always busy.

➡ ______

5 She arrives at home late.

➡ ______

6 He usually eats dinner at 7:30.

➡ ______

7 I close the door quietly.

➡ ______

8 Brian is never late for school.

➡ ______

9 The ice cream is really sweet.

➡ ______

10 I sometimes go to the bookstore.

➡ ______

영작 TEST ① Unit 8 부사

공부한 날짜: ________ 월 ________ 일   내가 맞춘 문제: ________ 개 / 10

정답과 해설 32쪽

다음 우리말과 뜻이 같도록 주어진 단어를 사용하여 영어로 문장을 쓰세요.

1 그들은 행복하게 산다. live happily

➡ They live happily.

2 그 강아지는 절대 짖지 않는다. the dog barks

➡ ____________________

3 Peter는 안전하게 운전한다. drives safely

➡ ____________________

4 나는 항상 아침을 먹는다. eat breakfast

➡ ____________________

5 Tony는 아름답게 춤춘다. dances beautifully

➡ ____________________

6 우리는 자주 야구를 한다. play baseball

➡ ____________________

7 나의 오빠는 크게 말한다. speaks louldy

➡ ____________________

8 나는 대개 일찍 일어난다. wake up early

➡ ____________________

9 Pam은 때때로 그 가게에 간다. goes to the store

➡ ____________________

10 그녀는 컴퓨터를 쉽게 고친다. fixes the computer easily

➡ ____________________

영작 TEST ② Unit 8 부사

공부한 날짜: ________ 월 ________ 일

내가 맞춘 문제: ________ 개 / 10

정답과 해설 32쪽

다음 우리말과 뜻이 같도록 영어로 문장을 쓰세요.

1 John은 천천히 걷는다.

➡ John walks slowly.

2 나는 항상 안경을 쓴다.

➡ ________________

3 그녀는 춤을 정말 잘 춘다.

➡ ________________

4 Larry는 보통 일찍 도착한다.

➡ ________________

5 Andy는 행복하게 미소 짓는다.

➡ ________________

6 그의 고양이는 절대 치즈를 먹지 않는다.

➡ ________________

7 Sara와 Kate는 조용히 공부한다.

➡ ________________

8 그는 가끔씩 TV를 본다.

➡ ________________

9 나의 어머니는 바쁘게 일하신다.

➡ ________________

10 너는 자주 내 이름을 잊는다.

➡ ________________

MEMO

흥미로운 영어 책으로 독해 공부 제대로 하자!

READING 적중! 영어독해

110 ~ 130 words

대상: 초등 고학년, 중1

120 ~ 140 words

대상: 중1, 중2

130 ~ 150 words

대상: 중2, 중3

적중! 영어독해 특징

- 다양하고 재미있는 소재의 지문
- 다양한 어휘 테스트(사진, 뜻 찾기, 문장 완성하기, 영영풀이)
- 풍부한 독해 문제(다양한 유형, 영어 지시문, 서술형, 내신형)
- 전 지문 구문 분석 제공
- 꼭 필요한 학습 부가 자료(QR코드, MP3파일, WORKBOOK)

쓰면서 강해지는

초등 영문법 2

[정답과 해설]

꿈을담는틀 Dream Matrix

Unit 1 일반동사의 현재형

Lesson 1 일반동사 현재형의 의미와 쓰임

개념 확인

9쪽

A

1 He　2 I
3 My mother　4 Kevin
5 You　6 Alice
7 Dogs

해석 **1** 그는 Jessica를 잘 안다. **2** 나는 만화책을 읽는다. **3** 나의 어머니는 은행에서 일하신다. **4** Kevin은 문을 연다. **5** 너는 빨리 걷는다. **6** Alice는 Thomas를 아주 많이 사랑한다. **7** 개들은 4개의 다리가 있다.

B

1 love　2 likes
3 need　4 buy
5 drinks　6 runs
7 love

해석 **1** 너는 대구에 산다. **2** 그녀는 바나나를 좋아한다. **3** 우리는 돈이 필요하다. **4** 그들은 텔레비전을 산다. **5** Sally는 우유를 마신다. **6** 저 기차는 매우 빨리 달린다. **7** 나의 부모님은 나를 사랑하신다.

STEP 1

10쪽

1 jump　2 helps
3 need　4 makes
5 lives　6 eat
7 wake　8 like
9 know　10 plays

STEP 2

11쪽

1 Judy eats an apple every morning.
2 Cats like fish.
3 He sings very well.
4 I drink coffee every day.
5 My sister visits Paris.
6 They always read books.
7 Henry rides a horse.
8 We play basketball after school.
9 You love chocolate.
10 My friends go fishing.

해석 **1** Judy는 매일 아침 사과를 먹는다. **2** 고양이들은 생선을 좋아한다. **3** 그는 노래를 매우 잘한다. **4** 나는 매일 커피를 마신다. **5** 나의 언니는 파리를 방문한다. **6** 그들은 항상 책을 읽는다. **7** Henry는 말을 탄다. **8** 우리는 방과 후에 농구를 한다. **9** 너는 초콜릿을 좋아한다. **10** 나의 친구들은 낚시하러 간다.

STEP 3

12쪽

1 My grandparents walk slowly.
2 She cooks dinner.
3 Jessy and Jane swim in the pool.
4 You dance on the stage.
5 David loves classical music.
6 I speak Spanish well.
7 Sue needs new socks.
8 They write letters.
9 Julie plays with her.
10 We sell hairpins.

해석 **1** 나의 할아버지는(→ 나의 조부모님은) 천천히 걷는다. **2** 나는(→ 그녀는) 저녁을 요리한다. **3** Betty는(→ Jessy와 Jane은) 수영장에서 수영을 한다. **4** 그들은(→ 너는) 무대 위에서 춤을 춘다. **5** 우리는(→ David는) 클래식 음악을 사랑한다. **6** Jennifer는(→ 나는) 스페인어를 잘한다. **7** 너는 (→ Sue는) 새 양말이 필요하다. **8** 그는(→ 그들은) 편지를 쓴다. **9** 그의 딸들은(→ Julie는) 그녀와 함께 논다. **10** 그 가게는(→ 우리는) 헤어핀을 판다.

STEP 4

13쪽

1 Peter loves Clare.
2 We run fast.

3 John plays the piano.
4 They listen to the radio.
5 We sell orange juice.
6 He makes sandwiches.
7 Jenny reads a magazine.
8 It opens at 8 o'clock.
9 I exercise every morning.
10 They wash their hands.

Lesson 2 일반동사의 3인칭 단수 현재형

개념 확인

15쪽

A

cry	cries	go	goes
wash	washes	kiss	kisses
like	likes	play	plays
have	has	study	studies
say	says	fix	fixes
enjoy	enjoys	teach	teaches

B

1 likes
2 dances
3 has
4 smell
5 does
6 study
7 looks

해석 1 나의 엄마는 스파게티를 좋아한다. 2 Leo는 춤을 잘 춘다. 3 나의 개는 별명이 있다. 4 이 장미들은 냄새가 좋다. 5 Andy는 숙제를 한다. 6 그들은 역사를 공부한다. 7 저 집은 커 보인다.

STEP 1

16쪽

1 cleans
2 kisses
3 studies
4 enjoys
5 watches
6 likes
7 cries
8 says
9 comes
10 has

STEP 2

17쪽

1 James goes to school at 8:30.
2 Her cat stays inside.
3 My grandmother loves me.
4 Kevin has a bicycle.
5 My mother plays the guitar.
6 Tim knows Jessica.
7 He washes the dishes every day.
8 The kite flies high.
9 Lisa misses her family.
10 The library closes at 6 o'clock.

해석 1 James는 8시 30분에 학교에 간다. 2 그녀의 고양이는 안에 머무른다. 3 나의 할머니는 나를 사랑하신다. 4 Kevin은 자전거 한 대가 있다. 5 나의 어머니는 기타를 연주하신다. 6 Tim은 Jessica를 안다. 7 그는 매일 설거지를 한다. 8 저 연은 높이 난다. 9 Lisa는 그녀의 가족을 그리워한다. 10 도서관은 6시 정각에 닫는다.

STEP 3

18쪽

1 My friend studies hard.
2 The puppy sleeps well.
3 She passes every test.
4 The cat catches the mouse.
5 Tony has two hamsters.
6 He lives in Spain.
7 She buys peaches here.
8 Alice watches movies every day.
9 Chris goes to bed early.
10 Ms. Han reads books in the morning.

해석 1 나의 친구들은(→ 나의 친구는) 열심히 공부한다. 2 그 강아지들은(→ 그 강아지는) 잘 잔다. 3 너는(→ 그녀는) 모든 시험을 통과한다. 4 우리는(→ 그 고양이는) 쥐를 잡는다. 5 나는(→ Tony는) 2마리의 햄스터를 가지고 있다. 6 Tom과 Jane은 (→ 그는) 스페인에 산다. 7 너는(→ 그녀는) 여기에서 복숭아를 산다. 8 그들은(→ Alice는) 매일 영화를 본다. 9 Joseph과 David는(→ Chris는) 일찍 잔다. 10 그들은(→ 한 선생님은) 아침에 책을 읽는다.

STEP 4

19쪽

1 My uncle cooks well.
2 Janet washes her hair.
3 Henry wears green socks.
4 He studies in the library.
5 Jade buys a necklace.
6 She drives a car.
7 Mark has three daughters.
8 My friend plays basketball.
9 Rachel goes to the party.
10 It finishes at 11 o'clock.

실전 테스트

20~22쪽

1 ① 2 ② 3 ⑤ 4 ① 5 ③ 6 ③
7 ⑤ 8 ② 9 closes 10 misses
11 plays 12 go

1 「자음 + y」로 끝나는 일반동사의 3인칭 단수형은 -y를 -i로 바꾸고 -es를 붙이므로, cries로 쓴다.

2 동사가 walks이므로 빈칸에는 3인칭 단수 주어(Jenna)가 알맞다.
- Jenna는 매일 아침 학교에 걸어간다.

3 동사가 love로 동사원형이므로 주어는 1인칭이나 2인칭, 복수 형태가 알맞다.
- Sara와 Lisa는 과학을 매우 많이 좋아한다.

4 주어(David)가 3인칭 단수이므로 동사에 -(e)s를 붙여야 한다.
- David는 숙제를 시작한다 / 한다 / 끝낸다 / 좋아한다.

5 「모음 + y」로 끝나는 일반동사는 주어(My dog)가 3인칭 단수일 때 -s만 붙인다.
- 나의 개는 밖에서 지낸다.

6 주어(Tom and Paul)가 복수이므로 동사에 -(e)s를 붙이지 않고 동사원형으로 써야 한다.
① 나는 일찍 일어난다.
② Kate는 두 명의 남동생이 있다.
③ Tom과 Paul은 저녁 식사 후에 TV를 본다.
④ 나의 아빠는 매일 아침 운동하신다.
⑤ Bill은 10시에 숙제를 끝낸다.

7 sh로 끝나는 일반동사는 주어(Jina)가 3인칭 단수일 때 -es를 붙이므로 washes로 써야 한다.
① 비행기는 빨리 난다.
② 나의 어머니는 일찍 일어나신다.
③ 나는 매일 중국어를 배운다.
④ 우리는 축구 경기를 즐긴다.
⑤ Jina는 매일 밤 머리를 감는다.

8 My sister는 3인칭 단수이므로 동사 뒤에 -s를 붙인 needs가 알맞고, Tom and I는 복수이므로 동사원형인 study가 알맞다.
- 나의 언니는 새 가방이 필요하다.
- Tom과 나는 영어를 함께 공부한다.

9 주어가 3인칭 단수(The school)이므로 일반동사에 -s를 붙인다.

10 s, x, o, ch, sh로 끝나는 일반동사는 주어(Amy)가 3인칭 단수일 때 -es를 붙이므로 misses로 쓴다.

11 「모음 + y」로 끝나는 일반동사는 주어(He)가 3인칭 단수일 때 -s만 붙이므로 plays로 쓴다.

12 주어가 Ben and I이고 and로 연결된 주어는 복수취급하기 때문에 동사원형으로 쓴다.

Unit 2 일반동사 현재형의 부정문

Lesson 1 일반동사의 부정문

개념 확인

25쪽

A
1 do not 2 do not
3 does not 4 do not
5 does not 6 does not
7 do not

해석 1 나는 그를 알지 못한다. 2 너는 햄버거를 좋아하지 않는다. 3 Sophia는 채소를 먹지 않는다. 4 그들은 고양이를 가지고 있지 않다. 5 그는 음악을 듣지 않는다. 6 Jason은 혼자 살지 않는다. 7 나의 남동생들은 휴대 전화를 사지 않는다.

B

1 Anna
2 I
3 Jade
4 My cat
5 He
6 My parents
7 Sam and Tony

해석 1 Anna는 나에게 전화하지 않는다. 2 나는 파티에 가지 않는다. 3 Jade는 오늘 수업이 없다. 4 나의 고양이는 쥐를 잡지 않는다. 5 그는 도마뱀을 좋아하지 않는다. 6 나의 부모님은 커피를 마시지 않는다. 7 Sam과 Tony는 그것이 필요하지 않다.

STEP 1

26쪽

1 does not
2 do not
3 does not
4 do not
5 do not
6 does not
7 does not
8 do not
9 do not
10 does not

STEP 2

27쪽

1 You do not read books.
2 The dog does not bark.
3 My parents do not go to the movies.
4 The girl does not clean her room.
5 My brother does not drink milk.
6 I do not watch TV.
7 They do not do their homework.
8 Frank does not like kiwi juice.
9 The bakery does not open at 8 o'clock.
10 We do not eat rice noodles.

해석 1 너는 책을 읽지 않는다. 2 그 개는 짖지 않는다. 3 나의 부모님은 영화를 보러 가지 않는다. 4 그 소녀는 그녀의 방을 청소하지 않는다. 5 나의 오빠는 우유를 마시지 않는다. 6 나는 TV를 보지 않는다. 7 그들은 숙제를 하지 않는다. 8 Frank는 키위 주스를 좋아하지 않는다. 9 그 빵집은 8시에 열지 않는다. 10 우리는 쌀국수를 먹지 않는다.

STEP 3

28쪽

1 She does not wear jeans.
2 I do not need a pencil.
3 Jessie does not learn Chinese.
4 We do not live in Ansan.
5 Andy and Mitchell do not like snakes.
6 My turtle does not eat well.
7 They do not sing a song.
8 Tony does not take walks.
9 I do not answer the question.
10 Sarah does not keep a diary.

해석 1 그녀는 청바지를 입는다(→ 입지 않는다). 2 나는 연필이 필요하다(→ 필요하지 않다). 3 Jessie는 중국어를 배운다(→ 배우지 않는다). 4 우리는 안산에 산다(→ 살지 않는다). 5 Andy와 Mitchell은 뱀을 좋아한다(→ 좋아하지 않는다). 6 나의 거북이는 잘 먹는다(→ 먹지 않는다). 7 그들은 노래를 부른다(→ 부르지 않는다). 8 Tony는 산책을 한다(→ 하지 않는다). 9 나는 질문에 대답한다(→ 대답하지 않는다). 10 Sarah는 일기를 쓴다(→ 쓰지 않는다).

STEP 4

29쪽

1 We do not dance.
2 I do not call her.
3 She does not play games.
4 Daniel does not eat dinner.
5 You do not lie.
6 Jenny and I do not sing.
7 He does not cross the street.
8 Alex does not wash his hands.
9 Rabbits do not fly.
10 The robot does not move fast.

Lesson 2 do not과 does not의 줄임말

개념 확인

31쪽

A

1 doesn't
2 don't
3 doesn't
4 doesn't
5 don't
6 doesn't
7 don't

해석 1 그녀는 서울에 살지 않는다. 2 우리는 양파를 먹지 않는다. 3 David은 늦게 자지 않는다. 4 김 선생님은 수학을 가르치지 않는다. 5 그들은 피자를 좋아하지 않는다. 6 나의 아버지는 형제가 없다. 7 재호와 수민이는 기타를 치지 않는다.

B

1 get
2 play
3 wear
4 eat
5 take
6 have
7 go

해석 1 너는 일찍 일어나지 않는다. 2 Tom은 하키를 하지 않는다. 3 그는 교복을 입지 않는다. 4 그 아기는 수프를 먹지 않는다. 5 Ellen은 지하철을 타지 않는다. 6 그들은 사다리를 가지고 있지 않다. 7 그 학생들은 도서관에 가지 않는다.

STEP 1

32쪽

1 doesn't do
2 don't play
3 doesn't wear
4 don't clean
5 doesn't like
6 doesn't feel
7 don't make
8 don't know
9 doesn't have
10 don't run

STEP 2

33쪽

1 I don't wake up at 8:00.
2 They don't sleep in the room.
3 She doesn't take a shower every day.
4 My mother doesn't eat noodles.
5 Her friends don't play with me.
6 Kevin doesn't wear glasses.
7 They don't draw a picture.
8 This store doesn't sell cherries.
9 We don't remember her name.
10 His cat doesn't like fish.

해석 1 나는 8시에 깨지 않는다. 2 그들은 그 방에서 자지 않는다. 3 그녀는 매일 샤워하지 않는다. 4 나의 어머니는 국수를 드시지 않는다. 5 그녀의 친구들은 나와 놀지 않는다. 6 Kevin은 안경을 쓰지 않는다. 7 그들은 그림을 그리지 않는다. 8 이 가게는 체리를 팔지 않는다. 9 우리는 그녀의 이름이 기억나지 않는다. 10 그의 고양이는 생선을 좋아하지 않는다.

STEP 3

34쪽

1 My sister doesn't have long hair.
2 The taxis don't stop here.
3 She doesn't try hard.
4 Christine doesn't go shopping.
5 You don't like animals.
6 My parents don't live in London.
7 Brian doesn't eat strawberries.
8 Jenny doesn't go to the bank.
9 I don't use pencils.
10 We don't drink coffee in the morning.

해석 1 내 친구들은(→ 내 여동생은) 긴 머리를 갖고 있지 않다. 2 그 버스는(→ 그 택시들은) 여기에서 서지 않는다. 3 그들은(→ 그녀는) 열심히 노력하지 않는다. 4 Andy와 Rosa는(→ Christine은) 쇼핑을 가지 않는다. 5 Amy는(→ 너는) 동물을 좋아하지 않는다. 6 그는(→ 나의 부모님은) 런던에 살지 않는다. 7 나는(→ Brian은) 딸기를 먹지 않는다. 8 우리는(→ Jenny는) 은행에 가지 않는다. 9 그녀는(→ 나는) 연필을 사용하지 않는다. 10 Peggy 씨는(→ 우리는) 아침에 커피를 마시지 않는다.

STEP 4

35쪽

1 We don't have a table.
2 I don't dance well.
3 Cathy doesn't go camping.
4 She doesn't play golf.

5 They don't study English.
6 Janet doesn't hate bugs.
7 He doesn't clean the park.
8 Frank and Sue don't drive a car.
9 You don't eat fish.
10 Jamie doesn't take pictures.

실전 테스트

36~38쪽

1 ③ 2 ⑤ 3 ⑤ 4 ③ 5 ⑤ 6 ⑤
7 ① 8 ④ 9 doesn't get
10 don't eat 11 doesn't help
12 don't walk

1 빈칸 뒤에 don't가 있으므로 빈칸에는 1인칭이나 2인칭, 복수 주어가 와야 한다.
- 나 / 우리 / 그들 / Tom과 Jane은 매일 방을 청소하지 않는다.

2 빈칸 뒤에 doesn't가 있으므로 빈칸에는 3인칭 단수 주어가 와야 한다. children은 child의 복수형이므로 빈칸에 알맞지 않다.
- 그녀 / Steve / 그 여자아이 / 나의 엄마는 야구를 좋아하지 않는다.

3 주어(He)가 3인칭 단수일 때 일반동사 현재형의 부정문은 「does not[doesn't] + 동사원형」으로 쓴다.
- 그는 청바지를 입는다.
  → 그는 청바지를 입지 않는다.

4 주어(Jiho and I)가 복수일 때 일반동사 현재형의 부정문은 「do not[don't] + 동사원형」으로 쓴다.
- 지호와 나는 거기에서 장난감을 산다.
  → 지호와 나는 거기에서 장난감을 사지 않는다.

5 and로 연결된 주어는 복수로 취급하고 주어가 복수일 때 일반동사 현재형의 부정문은 「do not[don't] + 동사원형」이므로 do not[don't] study로 써야 한다.
① 나는 우유를 마시지 않는다.
② 우리는 숙제를 원하지 않는다.
③ 그들은 만화책을 읽지 않는다.
④ Bill은 밤에 머리를 감지 않는다.
⑤ Andy와 나는 도서관에서 공부하지 않는다.

6 주어(Cindy)가 3인칭 단수일 때 일반동사 현재형의 부정문은 「does not[doesn't] + 동사원형」이므로 does not[doesn't] sleep으로 써야 한다.
① 그들은 골프를 치지 않는다.
② 그는 바다에서 수영하지 않는다.
③ 나는 부모님과 살지 않는다.
④ 그녀는 컴퓨터가 없다.
⑤ Cindy는 침대에서 자지 않는다.

7 주어가 모두 3인칭 단수이고 일반동사의 현재형이므로 「does not[doesn't] + 동사원형」을 써서 부정문을 만든다. ② not makes → does not[doesn't] make ③ do not have → does not[doesn't] have ④ don't opens → does not[doesn't] open ⑤ does not finishes → does not[doesn't] finish
① 그 버스는 여기에 서지 않는다.
② 그 회사는 차를 만들지 않는다.
③ 그 책에는 그림이 없다.
④ 그 가게는 일요일에 문을 열지 않는다.
⑤ 학교는 2시에 끝나지 않는다.

8 주어(Jack)가 3인칭 단수일 때 일반동사 현재형의 부정문은 「does not[doesn't] + 동사원형」으로 쓴다.
- Jack은 그녀의 이름을 기억하지 못한다.

9 주어(My son)가 3인칭 단수일 때 일반동사 현재형의 부정문은 「doesn't + 동사원형」으로 쓴다.

10 주어(Jeremy and Sam)가 복수일 때 일반동사 현재형의 부정문은 「don't + 동사원형」으로 쓴다. 주어가 and로 연결되어 있으면 복수 취급한다.

11 주어(Sally)가 3인칭 단수일 때 일반동사 현재형의 부정문은 「doesn't + 동사원형」으로 쓴다.

12 주어(We)가 복수일 때 일반동사 현재형의 부정문은 「don't + 동사원형」으로 쓴다.

Lesson 1 일반동사의 의문문

개념 확인

41쪽

A

1 Do
2 Does
3 Do
4 Does
5 Does
6 Do
7 Does

해석 1 너는 수박을 좋아하니? 2 그는 초등학교에 다니니? 3 그들은 부산에 사니? 4 그녀는 사진기를 가지고 있니? 5 Lisa는 숙제를 하니? 6 너의 친구들은 야구를 하니? 7 그 가게는 신발을 파니?

B

1 they
2 Sarah
3 you
4 your father
5 they
6 your aunt
7 you

해석 1 그들은 아침을 먹니? 2 Sarah는 그녀의 친구들을 만나니? 3 너는 Mina를 아니? 4 너의 아버지는 너를 도와주시니? 5 그들은 채소를 기르니? 6 너의 이모는 안경을 쓰시니? 7 너는 매일 우유를 마시니?

STEP 1

42쪽

1 Does
2 Do
3 Does
4 Do
5 Does
6 Do
7 Does
8 Does
9 Do
10 Does

STEP 2

43쪽

1 Do you wash the dishes?
2 Does the bus stop here?
3 Do I know her address?
4 Do we need coins?
5 Does your father cook well?
6 Do Junsu and Mirae like peaches?
7 Does she learn French?
8 Do they exercise every day?
9 Does he travel with his parents?
10 Does that bus go to the airport?

해석 1 너는 설거지를 하니? 2 그 버스는 여기에서 멈추니? 3 내가 그녀의 주소를 아니? 4 우리는 동전이 필요하니? 5 너의 아버지는 요리를 잘하시니? 6 준수와 미래는 복숭아를 좋아하니? 7 그녀는 프랑스어를 배우니? 8 그들은 매일 운동을 하니? 9 그는 부모님과 함께 여행하니? 10 저 버스는 공항까지 가니?

STEP 3

44쪽

1 Do you travel every summer?
2 Does Brian dance well?
3 Do they study in the library?
4 Does Sally live in Toronto?
5 Does your father read the newspaper?
6 Do Kate and Abby play together?
7 Does the kite fly high?
8 Do elephants have large ears?
9 Do your friends go skating?
10 Does Elsa do yoga every morning?

해석 1 너는 매년 여름 여행을 한다. → 너는 매년 여름 여행을 하니? 2 Brian은 춤을 잘 춘다. → Brian은 춤을 잘 추니? 3 그들은 도서관에서 공부한다. → 그들은 도서관에서 공부하니? 4 Sally는 토론토에 산다. → Sally는 토론토에 사니? 5 너의 아버지는 신문을 읽으신다. → 너의 아버지는 신문을 읽으시니? 6 Kate와 Abby는 함께 논다. → Kate와 Abby는 함께 노니? 7 그 연은 높이 난다. → 그 연은 높이 나니? 8 코끼리들은 큰 귀를 가지고 있다. → 코끼리들은 큰 귀를 가지고 있니? 9 너의 친구들은 스케이트를 타러 간다. → 너의 친구들은 스케이트를 타러 가니? 10 Elsa는 매일 아침 요가를 한다. → Elsa는 매일 아침 요가를 하니?

STEP 4

45쪽

1 Do penguins like fish?
2 Does Jake eat breakfast?
3 Do Matt and Joe play tennis?
4 Does she need scissors?
5 Do you know her birthday?
6 Does this pizza smell good?
7 Do you have many cousins?
8 Do they watch movies at home?
9 Does he jog every morning?
10 Does the hospital open on Sundays?

Lesson 2 일반동사 의문문의 대답

개념 확인

47쪽

A
1 don't　2 does
3 don't　4 do
5 doesn't　6 do

해석 1 A: 너는 펜이 하나 있니? B: 아니, 그렇지 않아. 2 A: 그는 노래를 잘하니? B: 응, 그래. 3 A: 우리는 의자가 필요하니? B: 아니, 그렇지 않아. 4 A: 너의 부모님은 요리를 잘하시니? B: 응, 그래. 5 A: Sam은 중국어를 하니? B: 아니, 그렇지 않아. 6 A: Amy와 Tom은 학교에 걸어가니? B: 응, 그래.

B
1 he does　2 they do
3 she doesn't　4 I don't
5 they do　6 it doesn't

해석 1 A: 그는 해산물을 좋아하니? B: 응, 그래. 2 A: 호랑이는 빨리 달리니? B: 응, 그래. 3 A: 그녀는 컴퓨터를 사용하니? B: 아니, 그렇지 않아. 4 A: 너는 새로운 바지를 원하니? B: 아니, 그렇지 않아. 5 A: 네 친구들은 너의 집을 좋아하니? B: 응, 그래. 6 A: 그 가게는 장난감을 파니? B: 아니, 그렇지 않아.

STEP 1

48쪽

1 do　2 does
3 do　4 doesn't
5 don't　6 does
7 doesn't　8 don't
9 doesn't　10 do

해석 1 A: 너는 매일 샤워를 하니? B: 응, 그래. 2 A: Emma는 비올라를 연주하니? B: 응, 그래. 3 A: 너의 선생님들은 너를 좋아하시니? B: 응, 그래. 4 A: Kate는 낚시하러 가니? B: 아니, 그렇지 않아. 5 A: 너는 오늘 시험이 있니? B: 아니, 그렇지 않아. 6 A: James는 머리가 짧니? B: 응, 그래. 7 A: 너의 학교는 금요일마다 문을 닫니? B: 아니, 그렇지 않아. 8 A: Tony와 Ann은 춤을 잘 추니? B: 아니, 그렇지 않아. 9 A: 너의 아버지는 6시에 집에 오시니? B: 아니, 그렇지 않아. 10 A: 그 소년들은 컴퓨터 게임을 하니? B: 응, 그래.

STEP 2

49쪽

1 Yes, they do.
2 No, I[we] don't.
3 Yes, she does.
4 No, he doesn't.
5 Yes, they do.
6 No, they don't.
7 No, she doesn't.
8 Yes, we do.
9 Yes, he does.
10 No, we don't.

해석 1 A: 너의 친구들은 스마트폰을 가지고 있니? B: 응, 그래. 2 A: 너(희)는 수원에 사니? B: 아니, 그렇지 않아. 3 A: Kathy는 농구를 하니? B: 응, 그래. 4 A: Tim은 그림을 잘 그리니? B: 아니, 그렇지 않아. 5 A: Ron과 Grace는 간식을 먹니? B: 응, 그래. 6 A: 뱀은 다리가 있니? B: 아니, 그렇지 않아. 7 A: Megan은 가위가 필요하니? B: 아니, 그렇지 않아. 8 A: 너와 Frank는 오늘 수업이 있니? B: 응, 그래. 9 A: 너의 형은 중학교에 다니니? B: 응, 그래. 10 A: 너와 Amy는 바닥에서 자니? B: 아니, 그렇지 않아.

STEP 3

✎ 50쪽

1 she does
2 they don't
3 I[We] do
4 he doesn't
5 she doesn't
6 they do
7 it doesn't
8 I[we] don't
9 we do
10 he does

해석 1 그 소녀는 만화책을 읽니? → 응, 그래. 2 그들은 매일 아침 운동을 하니? → 아니, 그렇지 않아. 3 너(희)는 매일 음악을 듣니? → 응, 그래. 4 네 남동생은 발이 작니? → 아니, 그렇지 않아. 5 그녀는 Pete를 사랑하니? → 아니, 그렇지 않아. 6 Andy와 Debby는 함께 공부하니? → 응, 그래. 7 이 기차는 대전에 가니? → 아니, 그렇지 않아. 8 너(희)는 조부모님과 함께 사니? → 아니, 그렇지 않아. 9 너와 너의 언니는 집에서 영화를 보니? → 응, 그래. 10 Jones 씨는 새로운 모자를 원하니? → 응, 그래.

STEP 4

✎ 51쪽

1 Yes, they do. / No, they don't.
2 Yes, she does. / No, she doesn't.
3 Yes, we do. / No, we don't.
4 Yes, she does. / No, she doesn't.
5 Yes, they do. / No, they don't.
6 Yes, he does. / No, he doesn't.
7 Yes, they do. / No, they don't.
8 Yes, you do. / No, you don't.
9 Yes, I[We] do. / No, I[We] don't.
10 Yes, she does. / No, she doesn't.

해석 1 그들은 지금 저녁을 원하니? 2 네 여동생은 곰을 좋아하니? 3 너와 Henry는 축구를 사랑하니? 4 그녀는 수영을 즐기니? 5 그 어린이들은 햄버거를 먹니? 6 그는 내 생일을 기억하니? 7 Eva와 Toby는 피자를 좋아하니? 8 내가 노래를 잘하니? 9 너(희)는 내 이름을 아니? 10 Green 선생님은 미술을 가르치시니?

실전 테스트

✎ 52~54쪽

1 ④ 2 ⑤ 3 ② 4 ⑤ 5 ② 6 ④
7 ② 8 ④ 9 Do /don't
10 Does / does 11 Does / doesn't
12 Do / do

1 주어(you)가 2인칭인 일반동사(need)의 의문문이므로, 문장 맨 앞에 Do가 와야 한다.
• 너는 지우개가 필요하니?

2 주어(she)가 3인칭 단수인 일반동사(go)의 의문문이므로, 문장 맨 앞에 Does가 와야 한다.
• 그녀는 중학교에 다니니?

3 주어(They)가 복수인 일반동사(listen) 현재형의 의문문은「Do + 주어 + 동사원형 ~?」으로 쓴다.
• 그들은 라디오를 듣는다. → 그들은 라디오를 듣니?

4 주어(She)가 3인칭 단수인 일반동사(have) 현재형의 의문문은「Does + 주어 + 동사원형 ~?」으로 쓴다.
• 그녀는 스마트폰이 있다. → 그녀는 스마트폰이 있니?

5 Do you ~?에 대한 대답은 you가 단수(너)이면 Yes, I do. / No, I don't.로 한다.
A: 너는 내 전화번호를 아니?
B: 아니, 그렇지 않아.

6 주어(your brother)가 3인칭 단수인 일반동사(learn) 현재형의 의문문에 대한 대답은 your brother가 남성이고 긍정의 대답이므로, Yes, he does.가 알맞다.
A: 너의 오빠는 한국어를 배우니?
B: 응, 그래.

7 주어(Kate)가 3인칭 단수인 일반동사 현재형의 의문문이고 부정의 대답이므로 doesn't를 써서 대답한다.
① A: 너는 동물을 좋아하니? B: 응, 그래.
② A: Kate는 일찍 일어나니? B: 아니, 그렇지 않아.
③ A: 그 은행은 일요일에 문을 여니? B: 아니, 그렇지 않아.
④ A: 그는 바이올린을 연주하니? B: 응, 그래.
⑤ A: 너와 너의 언니는 매년 여행하니? B: 응, 그래.

8 일반동사 현재형의 의문문은 Do[Does]로 시작하고 주어의 인칭과 수에 상관없이 항상 동사원형을 쓰므로 sends를 동사원형인 send로 고쳐야 한다.
① 너는 개를 좋아하니?
② 그들은 캠핑을 가니?
③ 그 기차는 여기에 서니?

④ 그는 너에게 이메일을 보내니?
⑤ 너의 오빠는 컴퓨터를 사용하니?

9 주어(you)가 2인칭인 일반동사(like)의 의문문은 「Do + 주어 + 동사원형 ~?」으로 쓴다. 대답은 의문문의 주어가 you이고 부정의 대답이므로, No, I don't로 쓴다.

10 주어(Rachel)가 3인칭 단수인 일반동사(have)의 의문문은 「Does + 주어 + 동사원형 ~?」으로 쓴다. 대답은 의문문의 주어가 여성이고 긍정의 대답이므로, Yes, she does.로 쓴다.

11 주어(your dog)가 3인칭 단수인 일반동사(eat)의 의문문은 「Does + 주어 + 동사원형 ~?」으로 쓴다. 대답은 의문문의 주어가 동물이고 부정의 대답이므로, No, it doesn't.로 쓴다.

12 주어(your parents)가 복수인 일반동사(read)의 의문문은 「Do + 주어 + 동사원형 ~?」으로 쓴다. 대답은 의문문의 주어가 복수이고 긍정의 대답이므로, Yes, they do.로 쓴다.

Unit 4 현재진행형

Lesson 1 현재진행형의 의미와 형태

개념 확인

57쪽

A

come	coming
sleep	sleeping
swim	swimming
tie	tying
say	saying
run	running

write	writing
stop	stopping
enjoy	enjoying
get	getting
take	taking
lie	lying

B

1 is sitting
2 likes
3 are going
4 wants
5 have
6 are drawing
7 knows

해석 1 그는 벤치에 앉아 있다. 2 Janet은 그 가수를 좋아한다. 3 우리는 공원에 가고 있다. 4 Nancy는 새 부츠를 원한다. 5 나는 컴퓨터가 있다. 6 너는 그림을 그리고 있다. 7 Brian은 그녀의 여동생을 안다.

STEP 1

58쪽

1 is tying
2 is lying
3 are having
4 is studying
5 am drinking
6 is writing
7 is brushing
8 are standing
9 is running
10 are swimming

STEP 2

59쪽

1 Laura is riding a horse now.
2 They are laughing now.
3 He is wearing a helmet.
4 The babies are smiling now.
5 A helicopter is flying in the sky.
6 We are taking pictures now.
7 I am[I'm] going home now.
8 Bill is running very fast.
9 My father is washing the dishes.
10 Peter and Jason are cleaning their room.

해석 1 Laura는 지금 말을 타고 있다. 2 그들은 지금 웃고 있다. 3 그는 헬멧을 쓰고 있다. 4 그 아기들은 지금 미소 짓고 있다. 5 헬리콥터 한 대가 하늘을 날고 있다. 6 우리는 지금 사진을 찍고 있다. 7 나는 지금 집에 가고 있다. 8 Bill은 매우 빨리 달리고 있다. 9 나의 아버지는 설거지를 하고 계신다. 10 Peter와 Jason은 그들의 방을 청소하고 있다.

STEP 3

60쪽

1 My father is fixing his car.
2 I am cutting the paper now.
3 You are learning chess.
4 My uncle is playing the guitar.
5 We are having dinner.
6 Kate is drawing a picture now.
7 Her mother is baking a cake now.

8 They are swimming in the river.
9 Tom and I are watching a movie at home.
10 The teacher is answering the question.

해석 1 나의 아버지는 차를 고친다(→ 고치고 있다). 2 나는 지금 종이를 자른다(→ 자르고 있다). 3 너는 체스를 배운다(→ 배우고 있다). 4 나의 삼촌은 기타를 친다(→ 치고 있다). 5 우리는 저녁을 먹는다(→ 먹고 있다). 6 Kate는 지금 그림을 그린다(→ 그리고 있다). 7 그녀의 어머니는 지금 케이크를 굽는다(→ 굽고 있다). 8 그들은 강에서 수영을 한다(→ 하고 있다). 9 Tom과 나는 집에서 영화를 본다(→ 보고 있다). 10 그 선생님은 질문에 대답을 한다(→ 하고 있다).

STEP 4

61쪽

1 He is sitting at the desk.
2 We are eating cookies.
3 Sally is looking at a map.
4 I am watching television now.
5 You are planning a trip.
6 I am lying on the sofa.
7 She is driving a taxi.
8 Eddy is talking on the phone now.
9 James and I are playing badminton.
10 They are practicing the piano.

Lesson 2 현재진행형의 부정문과 의문문

개념 확인

63쪽

A
1 am not 2 isn't cleaning
3 aren't playing 4 isn't
5 is not yelling 6 isn't talking

해석 1 나는 지금 책을 읽고 있지 않다. 2 그녀는 그 집을 청소하고 있지 않다. 3 그들은 지금 골프를 치고 있지 않다. 4 Kevin은 지금 음악을 듣고 있지 않다. 5 그는 지금 소리치고 있지 않다. 6 Susie는 그녀의 엄마와 이야기하고 있지 않다.

B
1 Is 2 Are
3 Is 4 I am
5 she isn't 6 they are

해석 1 A: Oliver는 울고 있니? B: 응, 그래. 2 A: 그 개들은 지금 자고 있니? B: 아니, 그렇지 않아. 3 A: 너의 아버지는 요리를 하고 계시니? B: 아니, 그렇지 않아. 4 A: 너는 지금 피자를 먹고 있니? B: 응, 그래. 5 A: 그녀는 인형을 만들고 있니? B: 아니, 그렇지 않아. 6 A: 그 원숭이들은 나무에 오르고 있니? B: 응, 그래.

STEP 1

64쪽

1 is not[isn't] waiting
2 is not[isn't] sitting
3 are not[aren't] wearing
4 are not[aren't] going
5 is not[isn't] writing
6 am not running
7 is not[isn't] planting
8 is not[isn't] crossing
9 are not[aren't] helping
10 are not[aren't] studying

STEP 2

65쪽

1 Is your son crying?
2 Is she sleeping on the sofa?
3 Is he carrying a box?
4 Am I going straight?
5 Is Tommy coming home?
6 Is she washing her hair?
7 Are they eating sandwiches?
8 Are you using my computer?
9 Is he doing his homework now?
10 Are James and Steve looking for me?

해석 1 너의 아들은 울고 있니? 2 그녀는 소파에서 자고 있니? **3** 그는 상자를 나르고 있니? **4** 내가 똑바로 가고 있니? **5** Tommy는 집에 오고 있니? **6** 그녀는 머리를 감고 있니? **7** 그들은 샌드위치를 먹고 있니? **8** 너는 나의 컴퓨터를 사용하고 있니? **9** 그는 지금 숙제를 하고 있니? **10** James와 Steve가 나를 찾고 있니?

STEP 3

66쪽

1 The boys are not[aren't] playing hockey.

2 Are the rabbits eating carrots?

3 Is my mother cooking spaghetti?

4 I am[I'm] not brushing my teeth.

5 Is Jenny meeting her friends?

6 Is the baby smiling now?

7 Ted is not[isn't] lying on the floor.

8 Are you surfing the Internet?

9 They are not[aren't] coming home now.

10 Brian is not[isn't] singing a song.

해석 **1** 그 소년들은 하키를 하고 있다. → 그 소년들은 하키를 하고 있지 않다. **2** 그 토끼들은 당근을 먹고 있다. → 그 토끼들은 당근을 먹고 있니? **3** 나의 어머니는 스파게티를 요리하시는 중이다. → 나의 어머니는 스파게티를 요리하시는 중이니? **4** 나는 양치를 하고 있다. → 나는 양치를 하고 있지 않다. **5** Jenny는 그녀의 친구들을 만나고 있다. → Jenny는 그녀의 친구들을 만나고 있니? **6** 그 아기는 지금 미소 짓고 있다. → 그 아기는 지금 미소 짓고 있니? **7** Ted는 바닥에 누워있다. → Ted는 바닥에 누워있지 않다. **8** 너는 인터넷을 검색하고 있다. → 너는 인터넷을 검색하고 있니? **9** 그들은 지금 집에 오고 있다. → 그들은 지금 집에 오고 있지 않다. **10** Brian은 노래를 부르고 있다. → Brian은 노래를 부르고 있지 않다.

STEP 4

67쪽

1 Are you listening to music?

2 Is Paul washing his face?

3 I am[I'm] not tying my shoelaces.

4 Are they studying English?

5 Megan is not[isn't] riding a bicycle.

6 Is she wearing pants?

7 They are not[aren't] going to the market.

8 Is Terry cutting cheese?

9 We are not[aren't] cleaning the classroom.

10 Becky is not[isn't] running in the playground.

실전 테스트

68~70쪽

1 ② **2** ⑤ **3** ④ **4** ① **5** ⑤ **6** ③
7 ④ **8** ③ **9** is doing
10 is not[isn't] buying **11** Is / lying
12 Are / swimming

1 「단모음 + 단자음」으로 끝나는 동사는 마지막 자음을 한 번 더 쓰고 -ing를 붙이므로 planning으로 쓴다.

2 -e로 끝나는 동사는 e를 빼고 -ing를 붙이므로 taking으로 쓴다.

3 주어(you)가 2인칭인 현재진행형의 의문문은 문장 맨 앞에 Are를 붙여 「Are + 주어 + 동사원형 -ing ~?」로 쓴다.

4 현재진행형의 의문문에 대한 대답은 긍정이면 「Yes, 주어(대명사) + be동사의 현재형.」을 쓴다. 의문문의 주어가 you이면 I(단수)나 we(복수)로 대답한다.

• A: 너는 소파에 누워 있니? B: 응, 그래.

5 now는 지금 하고 있는 일을 말할 때 쓰고, 주어(Lisa)가 3인칭 단수인 현재진행형은 「is + 동사원형 -ing」로 쓴다.

• Lisa는 지금 음악을 듣고 있다.

6 주어(Cathy and Peter)가 복수인 현재진행형의 부정문은 「are + not + 동사원형 -ing」로 쓴다.

• Cathy와 Peter는 배드민턴을 치고 있지 않다.

7 소유나 상태, 감정을 나타내는 동사는 현재진행형으로 쓸 수 없으므로, Tommy has three dogs.로 써야 한다. 단, have가 '먹다'의 의미일 때는 현재진행형으로 쓸 수 있다.

① 우리는 이 게임을 즐기고 있다.

② 그 아기는 지금 울고 있지 않다.
③ 나의 오빠는 수학을 공부하고 있다.
④ Tommy는 개 세 마리를 가지고 있다.
⑤ 우리는 벤치에 앉아 있다.

8 현재진행형의 의문문에 대한 대답이 부정이면 「No, 주어(대명사) + be동사의 현재형 + not.」을 쓴다. ③은 의문문의 주어(your mom)가 3인칭 단수이고 부정의 대답이므로 No, she isn't.로 대답한다.
① A: 너는 머리를 빗고 있니? B: 응, 그래.
② A: Bob은 연필을 사고 있니? B: 아니, 그렇지 않아.
③ A: 너의 엄마는 빵을 굽고 계시니? B: 아니, 그렇지 않아.
④ A: 그 원숭이는 바나나를 먹고 있니? B: 응, 그래.
⑤ A: 너와 너의 여동생은 노래하고 있니? B: 아니, 그렇지 않아.

9 주어(Abby)가 3인칭 단수인 현재진행형은 「is + 동사원형 -ing」로 쓴다.

10 주어(He)가 3인칭 단수인 현재진행형의 부정문은 「is + not + 동사원형 -ing」로 쓴다.

11 주어(your dog)가 3인칭 단수인 현재진행형의 의문문은 「Is + 주어 + 동사원형 -ing ~?」로 쓴다. lie는 -ie로 끝나는 동사이므로 ie를 y로 바꾸고 -ing를 붙인다.

12 주어(they)가 복수인 현재진행형의 의문문은 「Are + 주어 + 동사원형 -ing ~?」로 쓴다.

Unit 5 형용사

Lesson 1 형용사의 종류

개념 확인 (73쪽)

A 1 beautiful 2 smart 3 blue 4 heavy 5 tall 6 rainy 7 kind

해석 1 Susan은 아름다운 소녀이다. 2 저 개는 영리하다. 3 Chris는 파란색 트럭을 가지고 있다. 4 그 상자들은 무겁다. 5 그는 키가 큰 소년이다. 6 그들은 비오는 날을 좋아하지 않는다. 7 Jimmy와 Chris는 친절하다.

B 1 three 2 seventh 3 four 4 fifth 5 tenth 6 six 7 second

해석 1 나는 3명의 형제가 있다. 2 우리는 7층에 산다. 3 사자들은 4개의 다리를 가지고 있다. 4 나의 오빠는 5학년이다. 5 오늘은 그녀의 열 번째 생일이다. 6 나의 어머니는 6개의 달걀이 필요하다. 7 나는 우리 가족의 둘째 아들이다.

STEP 1 (74쪽)

1 young 2 heavy 3 black 4 old 5 cold 6 small 7 green 8 long

STEP 2 (75쪽)

1 I have five oranges.
2 Tomorrow is my eleventh birthday.
3 The teacher needs seven pens.
4 Jaewon's house is on the first floor.
5 We have six cousins.
6 Patrick and Tim are in the fourth grade.
7 Today is our third wedding anniversary.
8 My sister is twelve years old.
9 The store is on the fourteenth floor.
10 Ms. Jessica teaches the second grade.

해석 1 나는 다섯 개의 오렌지가 있다. 2 내일은 나의 열한 번째 생일이다. 3 그 선생님은 일곱 개의 펜이 필요하다. 4 재원이의 집은 1층에 있다. 5 우리는 여섯 명의 사촌이 있다. 6 Patrick과 Tim은 4학년이다. 7 오늘은 우리의 세 번째 결혼기념일이다. 8 나의 누나는 열두 살이다. 9 그 가게는 14층에 있다. 10 Jessica 선생님은 2학년을 가르치신다.

STEP 3

✎ 76쪽

1 Today is a warm day.
2 These vegetables are fresh.
3 This is an old book.
4 Tomorrow is your tenth birthday.
5 The library is very big.
6 Julie buys twelve books.
7 Rick wears red socks.
8 My office is on the fifteenth floor.

STEP 4

✎ 77쪽

1 Tim is the seventh player.
2 This train is slow.
3 His hair is short.
4 They have thirteen hamsters.
5 They are brown bears.
6 We are in the sixth grade.
7 I visit nine countries.
8 The actors are handsome.
9 Christine has seventeen fish.
10 My classroom is on the fifth floor.

Lesson 2 형용사의 쓰임

개념 확인

✎ 79쪽

A
1 My brother
2 Your feet
3 ducks
4 The children
5 The question
6 hamburgers
7 writers

해석 1 나의 형은 잘생겼다. 2 너의 발은 더럽다. 3 그들은 귀여운 오리들을 본다. 4 그 아이들은 영리하다. 5 그 질문은 어렵다. 6 그 가게는 맛있는 햄버거를 판다. 7 Lucy와 John은 유명한 작가들을 만난다.

B
1 a long river
2 the large car
3 this nice picture
4 a cold day
5 the black shoes
6 that beautiful house
7 my good friends

해석 1 저것은 긴 강이다. 2 선재는 그 큰 자동차를 운전한다. 3 나는 이 멋진 그림을 좋아한다. 4 오늘은 추운 날이다. 5 그는 그 검정색 신발을 원한다. 6 우리는 저 아름다운 집을 좋아한다. 7 Carry와 Sophia는 나의 좋은 친구들이다.

STEP 1

✎ 80쪽

1 beautiful dress
2 kind doctors
3 short pencils
4 tall student
5 brave soldiers
6 green apples
7 dark rooms
8 dirty table
9 delicious pies
10 new jacket

해석 1 이 드레스는 아름답다. → 이것은 아름다운 드레스이다. 2 그 의사들은 친절하다. → 그들은 친절한 의사들이다. 3 저 연필들은 짧다. → 저것들은 짧은 연필들이다. 4 그 키가 큰 학생은 Peter이다. → Peter는 키가 큰 학생이다. 5 그 군인들은 용감하다. → 그들은 용감한 군인이다. 6 그 사과들은 초록색이다. → 그것들은 초록색 사과들이다. 7 저 방들은 어둡다. → 저것들은 어두운 방이다. 8 저 탁자는 더럽다. → 저것은 더러운 탁자이다. 9 이 파이들은 맛있다. → 이것들은 맛있는 파이다. 10 그 재킷은 새것이다. → 그것은 새 재킷이다.

STEP 2

✎ 81쪽

1 Jason is an excellent player.
2 Look at my yellow car.
3 This is a heavy chair.
4 I watch the interesting movie.
5 They buy those expensive cameras.
6 Today is a cloudy day.

7 That blue pen is his.

8 She is my lovely daughter.

9 I don't use this old dictionary.

10 Alice borrows his red umbrella.

해석 1 Jason은 뛰어난 선수이다. 2 내 노란색 차를 봐. 3 이것은 무거운 의자이다. 4 나는 그 재미있는 영화를 본다. 5 그들은 저 비싼 카메라들을 산다. 6 오늘은 흐린 날이다. 7 저 파란 펜은 그의 것이다. 8 그녀는 나의 사랑스러운 딸이다. 9 나는 이 오래된 사전을 쓰지 않는다. 10 Alice는 그의 빨간 우산을 빌린다.

STEP 3

82쪽

1 It has a long neck.

2 I ride my pink bicycle.

3 It is a tall building.

4 We need these purple hats.

5 I like the beautiful actress.

6 This is your new teacher.

7 I want that yellow umbrella.

8 Mandy wears those short pants.

9 They carry her heavy bags.

10 My uncle is a brave firefighter.

해석 1 그것은 긴 목을 가졌다. 2 나는 내 핑크색 자전거를 탄다. 3 그것은 높은 건물이다. 4 우리는 이 보라색 모자가 필요하다. 5 나는 그 아름다운 배우를 좋아한다. 6 이분은 너의 새로운 선생님이다. 7 나는 저 노란색 우산을 원한다. 8 Mandy는 저 짧은 바지를 입는다. 9 그들은 그녀의 무거운 가방을 운반한다. 10 나의 삼촌은 용감한 소방관이다.

STEP 4

83쪽

1 Roy is a strong boy.

2 This sweater is warm.

3 Joey's daughter is healthy.

4 I take that blue bus.

5 Those cars are not[aren't] fast.

6 Ryan is my old friend.

7 These kiwis are cheap.

8 I like his new song.

9 They are[They're] popular singers.

10 We need those clean towels.

실전 테스트

84~86쪽

1 ④ 2 ⑤ 3 ⑤ 4 ③ 5 ④ 6 ④
7 ④ 8 ③ 9 is difficult
10 the seventh floor 11 two dogs
12 that pretty girl

1 ①, ②, ③, ⑤는 형용사이고, ④는 '이야기'라는 뜻의 명사이다.

2 beautiful(아름다운)과 pretty(예쁜)는 비슷한 말이고, 이 두 단어의 반대말은 ugly(못생긴)이다.

3 twenty(20)의 서수는 twentieth(스무 번째의)이다.

4 three(3)의 서수는 third(세 번째의)이다.

5 형용사가 관사와 함께 쓰이는 경우 「관사 + 형용사 + 명사」의 순서로 쓴다.
• 나는 바람 부는 날을 좋아하지 않는다.

6 형용사가 지시형용사와 함께 쓰이는 경우 「지시형용사 + 형용사 + 명사」의 순서이므로, that white hat으로 써야 한다.
① 그 방은 깨끗하다.
② Tom은 귀여운 남자아이다.
③ 그 아이들은 배가 고프다.
④ 그녀는 저 흰색 모자를 원한다.
⑤ 김 선생님은 내가 가장 좋아하는 선생님이다.

7 형용사가 소유격과 함께 쓰이는 경우 「소유격 + 형용사 + 명사」의 순서이므로, my new computer로 써야 한다.
① 그 영화는 슬프다.
② Wilson은 키가 큰 남자이다.
③ 그 이야기는 재미있다.
④ 이것은 내 새 컴퓨터이다.
⑤ 그 차는 매우 비싸다.

8 학년은 서수로 나타내므로 five(5)의 서수인 fifth(다섯 번째의)를 써야 한다. 서수 앞에는 정관사 the를 쓰고 서

수 뒤에는 단수 명사가 와야 하므로 the fifth grade가 알맞다.

9 주어(This question)가 3인칭 단수이므로 be동사 is 뒤에 형용사 difficult를 쓴다.

10 층을 말할 때는 서수를 쓰므로, seven(7)의 서수인 seventh(일곱 번째의)를 쓴다. 서수 앞에는 정관사 the를 쓰고 서수 뒤에는 단수 명사가 와야 하므로 the seventh floor가 알맞다.

11 개수를 말할 때는 기수를 쓰고, 기수 뒤에 명사가 올 때 two부터는 복수명사를 쓰므로 two dogs가 알맞다.

12 형용사가 지시형용사와 함께 쓰이는 경우 「지시형용사 + 형용사 + 명사」의 순서로 쓴다.

Unit 6 수량 형용사 (1)

Lesson 1 some/any

개념확인

89쪽

A

1 some　2 any
3 some　4 any
5 some　6 any
7 any

해석 1 나는 몇 개의 질문이 있다. 2 우리는 차가 한 대도 없다. 3 빵 좀 먹을래? 4 그들은 책을 전혀 사지 않는다. 5 Chris는 약간의 치즈가 있다. 6 그녀는 연필이 좀 있니? 7 소영이는 우유를 조금도 마시지 않는다.

B

1 erasers　2 butter
3 apples　4 money
5 coffee　6 meat
7 teachers

해석 1 나는 지우개가 하나도 없다. 2 너는 버터가 좀 필요하니? 3 그녀는 사과를 몇 개 산다. 4 우리는 돈이 전혀 없다. 5 커피 좀 드실래요? 6 나의 어머니는 고기가 조금 필요하다. 7 너는 선생님들을 좀 아니?

STEP 1

90쪽

1 any　2 any
3 some　4 some
5 any　6 some
7 some　8 any
9 any　10 some

STEP 2

91쪽

1 I don't read any magazines.
2 Some sand is in my shoes.
3 Would you like some doughnuts?
4 He is making some sandwiches.
5 Do you know any famous writers?
6 We are not drinking any soda.
7 Sarah has some pink shirts.
8 Does he have any brothers?
9 My sisters don't have any toys.
10 Some students are waiting for you.

해석 1 나는 잡지를 한 권도 읽지 않는다. 2 약간의 모래가 내 신발 안에 있다. 3 도넛 좀 드실래요? 4 그는 샌드위치를 조금 만들고 있다. 5 너는 유명한 작가를 좀 아니? 6 우리는 탄산음료를 조금도 마시고 있지 않다. 7 Sarah는 몇 개의 분홍색 셔츠를 가지고 있다. 8 그는 남자형제가 몇 명 있니? 9 나의 여동생들은 장난감이 하나도 없다. 10 몇몇 학생들이 너를 기다리고 있다.

STEP 3

92쪽

1 I don't have any time.
2 They need some paper.
3 Mason doesn't watch any horror movies.
4 Do you have any coins?
5 She buys some flowers.
6 The students don't play any sports.
7 Does Sally take any pictures?

8 He drinks some milk in the morning.

9 Do you have any questions?

10 My dad doesn't read any comic books.

해석 1 나는 시간이 조금 있다. → 나는 시간이 조금도 없다. 2 그들은 종이가 전혀 필요하지 않다. → 그들은 종이가 조금 필요하다. 3 Mason은 공포 영화를 조금 본다. → Mason은 공포 영화를 전혀 보지 않는다. 4 너는 동전이 조금 있다. → 너는 동전이 조금 있니? 5 그녀는 꽃을 전혀 사지 않는다. → 그녀는 약간의 꽃을 산다. 6 그 학생들은 운동을 조금 한다. → 그 학생들은 운동을 전혀 하지 않는다. 7 Sally는 사진을 조금 찍는다. → Sally는 사진을 조금 찍니? 8 그는 아침에 우유를 전혀 마시지 않는다. → 그는 아침에 약간의 우유를 마신다. 9 너는 질문이 조금 있다. → 너는 질문이 있니? 10 나의 아버지는 만화책을 조금 읽으신다. → 나의 아버지는 만화책을 전혀 읽지 않으신다.

STEP 4

93쪽

1 Do you want some orange juice?

2 We don't need any spoons.

3 I have some caps.

4 Does Tom have any soccer balls?

5 I drink some cold water.

6 Jena doesn't have any pencils.

7 Alex washes some apples.

8 She remembers some names.

9 James doesn't have any paper.

10 Do you know any good restaurants?

Lesson 2 every/all

개념 확인

95쪽

A

1 Every 2 All

3 Every 4 All

5 Every 6 every

7 all

해석 1 모든 인형은 귀엽다. 2 그의 친구들은 모두 열심히 공부한다. 3 모든 기린은 긴 목을 가지고 있다. 4 모든 꽃들은 노란색이다. 5 모든 차는 엔진이 있다. 6 그녀는 매일 밤마다 머리를 감는다. 7 나는 우리 반의 모든 학생들을 좋아한다.

B

1 flower 2 day

3 morning 4 sisters

5 teacher 6 summer

7 students

해석 1 모든 꽃은 이름이 있다. 2 나의 부모님은 하루 종일 일하신다. 3 Frank는 매일 아침 우유를 마신다. 4 나의 누나들은 모두 고등학교에 다닌다. 5 나는 우리 학교의 모든 선생님을 안다. 6 그들은 여름 내내 수영을 즐긴다. 7 모든 학생들은 교복을 입는다.

STEP 1

96쪽

1 All 2 Every

3 every 4 all

5 All 6 every

7 Every 8 all

9 Every 10 All

STEP 2

97쪽

1 All tigers are strong.

2 Every room here is clean.

3 Do you go to the library every day?

4 Every student is carrying a bag.

5 Many people enjoy skating all winter.

6 Amy puts all her cameras on the table.

7 Every player wears gloves.

8 Kevin invites all his friends to the party.

9 Every spider has eight legs.

10 Pete drinks all the water in the bottle.

해석 1 모든 호랑이들은 힘이 세다. 2 여기에 있는 모든 방은 깨끗하다. 3 너는 매일 도서관에 가니? 4 모든 학생이 가방을 메고 있다. 5 많은 사람들이 겨울 내내 스케이트 타는 것을 즐긴다. **6** Amy는 그녀의 모든 카메라들을 탁자 위에 놓는다. **7** 모든 선수는 장갑을 낀다. **8** Kevin은 그의 모든 친구들을 파티에 초대한다. **9** 모든 거미는 여덟 개의 다리를 가지고 있다. **10** Pete는 병 안의 모든 물을 마신다.

STEP 3

98쪽

1 Every child has a dream.
2 I like all the animals there.
3 They clean every room in the hotel.
4 Every kangaroo jumps high.
5 All her dolls are cute.
6 I meet my friends every weekend.
7 Every bakery sells chocolate cake.
8 Angie plays computer games all night.

STEP 4

99쪽

1 Every policeman is brave.
2 All his jackets are black.
3 All my cousins live in Seoul.
4 I do the laundry every night.
5 All flowers are beautiful.
6 All students have name tags.
7 Every house has a restroom.
8 I wear sunglasses all summer.
9 He visits every museum in Rome.
10 Chris plays the violin every morning.

실전 테스트

100~102쪽

1 ③ **2** ① **3** ④ **4** ② **5** ④ **6** ③
7 ⑤ **8** ⑤ **9** some bread
10 any skirts **11** All his friends
12 Every student

1 '모든 ~'이라는 뜻을 나타낼 때 셀 수 있는 단수명사 앞에는 Every를 쓴다.

2 긍정문에서 '약간의, 몇몇의'라는 뜻으로 some을 쓴다.

3 '모든 ~'이라는 뜻을 나타낼 때 복수명사 앞에는 all을 쓴다. all과 명사 사이에는 소유격이 오기도 한다.

4 부정문에서 '전혀, 조금도, 하나도 (없는)'이라는 뜻으로 any를 쓴다.

5 첫 번째 문장은 권유의 의문문이므로 some이 알맞고, 두 번째 문장은 긍정문이고 teachers가 복수명사이므로 some이나 all이 알맞다.
• 주스 좀 마실래?
• 나는 저기에 있는 몇 명의 선생님을 안다.

6 「every + 셀 수 있는 단수명사」가 주어이면 동사는 단수형을 쓰므로 is가 알맞고, 「all + 복수명사」가 주어이면 동사는 복수형을 쓰므로 like가 알맞다.
• 모든 아기는 귀엽다.
• 모든 아이들은 만화책을 좋아한다.

7 부정문에서는 '전혀, 조금도, 하나도 (없는)'의 뜻으로 any를 쓴다.
① 모든 새는 날개가 있다.
② 나는 표가 몇 장 있다.
③ 너는 돈이 좀 있니?
④ 나의 모든 학생들은 똑똑하다.
⑤ 나는 친구가 한 명도 없다.

8 부탁의 의문문에서는 '약간의, 몇몇의, 조금'의 뜻으로 some을 쓴다.
① 모든 개들은 꼬리가 있다.
② 몇몇 학교들은 작다.
③ 나는 일요일마다 축구를 한다.
④ 그는 토마토를 전혀 먹지 않는다.
⑤ 냅킨 좀 얻을 수 있을까요?

9 권유의 의문문에서는 '약간의, 몇몇의, 조금'의 뜻으로 some을 쓴다.

10 부정문에서 '전혀, 조금도, 하나도 (없는)'의 뜻으로 any를 쓴다.

11 복수형 be동사 are가 쓰였으므로 「all + 소유격 + 복수명사」 형태로 써야 한다. all과 명사 사이에 소유격 his를 써서 '그의'라는 뜻을 나타낸다.

12 단수형 동사 has가 쓰였으므로 주어는 「every + 단수명사」 형태로 써야 한다.

Unit 7 수량 형용사 (2)

Lesson 1 many/much, a lot of/lots of

개념 확인

105쪽

A

1 many 2 many
3 much 4 much
5 many 6 much
7 many

해석 1 나는 많은 펜을 가지고 있다. 2 너는 동전이 많이 있니? 3 그녀는 치즈를 많이 쓰지 않는다. 4 그 자동차는 많은 기름을 필요로 하지 않는다. 5 Christine은 사진을 많이 찍니? 6 그는 물을 많이 마시니? 7 Jessica는 많은 공책을 가지고 있다.

B

1 many, a lot of 2 much, a lot of
3 many, lots of 4 much, a lot of
5 much, lots of 6 many, a lot of
7 much, lots of

해석 1 나는 많은 책을 가지고 있다. 2 Sophia는 수프를 많이 먹니? 3 그는 바구니가 많이 필요하니? 4 너는 많은 빵을 사지 않는다. 5 너는 돈을 많이 쓰니? 6 그 가게는 많은 장난감을 가지고 있다. 7 나는 숙제가 많지 않다.

STEP 1

106쪽

1 many 2 much
3 much 4 many
5 much 6 many
7 many 8 much
9 many 10 much

STEP 2

107쪽

1 He visits many[a lot of / lots of] countries.
2 I don't eat much bread.
3 Sarah has a lot of[many / lots of] shoes.
4 Does Johnny ask lots of questions?
5 We aren't using much[a lot of / lots of] paper.
6 Do they borrow many[a lot of / lots of] books?
7 The store doesn't sell much rice.
8 Do you need lots of[much / a lot of] chocolate?
9 I don't drink much[a lot of / lots of] water at night.
10 Suji doesn't need many flowers.

해석 1 그는 많은 나라를 방문한다. 2 나는 빵을 많이 먹지 않는다. 3 Sarah는 많은 신발을 가지고 있다. 4 Johnny는 많은 질문을 하니? 5 우리는 종이를 많이 사용하고 있지 않다. 6 그들은 많은 책을 빌리니? 7 그 가게는 많은 쌀을 팔지 않는다. 8 너는 초콜릿이 많이 필요하니? 9 나는 밤에 물을 많이 마시지 않는다. 10 수지는 많은 꽃이 필요하지 않다.

STEP 3

108쪽

1 They don't eat many cookies.
2 Do they need many balls?
3 Does the store sell much meat?
4 We use many towels every day.
5 They don't make much bread.
6 Abby doesn't buy many potatoes.
7 Do you have much time?
8 We don't see many rabbits here.
9 Does Jenna want many pens?
10 Do you eat much rice?

해석 1 그들은 닭고기를 많이 먹지 않는다. → 그들은 쿠키를 많이 먹지 않는다. 2 그들은 많은 버터가 필요하니? → 그들은 많은 공이 필요하니? 3 그 가게는 많은 바지를 파니? → 그 가게는 많은 고기를 파니? 4 우리는 매일 많은 샴푸를 쓴다. → 우리는 매일 많은 수건을 쓴다. 5 그들은 차를 많이 만들지 않는다. → 그들은 빵을 많이 만들지 않는다. 6 Abby는 꿀을 많이 사지 않는다. → Abby는 감자를 많이 사지 않는다. 7 너는 친구가 많이 있니? → 너는 시간이 많이 있니? **8** 우리는 여기서 많은 눈을 보지 않는다. → 우리는 여기서 많은 토끼를 보지 않는다. **9** Jenna는 많은 수프를 원하니? → Jenna는 많은 펜을 원하니? **10** 너는 복숭아를 많이 먹니? → 너는 밥을 많이 먹니?

STEP 4

109쪽

1 Does he drink much[a lot of / lots of] tea?
2 I don't have much[a lot of / lots of] paper.
3 Does Kate make many[a lot of / lots of] sandwiches?
4 Joel doesn't write many[a lot of / lots of] letters.
5 Does she put much[a lot of / lots of] salt in the soup?
6 We don't use much[a lot of / lots of] sugar.
7 She doesn't draw many[a lot of / lots of] pictures.
8 Emily doesn't drink much[a lot of / lots of] coffee.
9 You have many[a lot of / lots of] toys.
10 Matt reads many[a lot of / lots of] novels.

Lesson 2 a few/few, a little/little

개념 확인

111쪽

A

1 a few　2 little
3 a few　4 little
5 a little　6 few
7 a little

해석 **1** 우리는 몇 그루의 나무를 기른다. **2** Hanna는 커피를 거의 마시지 않는다. **3** 너는 몇 개의 양파를 산다. **4** 그들은 음악을 거의 듣지 않는다. **5** 그녀는 약간의 치즈가 필요하다. **6** Jake는 만화책을 거의 읽지 않는다. **7** 나는 매일 약간의 우유를 마신다.

B

1 shampoo　2 cars
3 flour　4 vegetables
5 money　6 hats
7 homework

해석 **1** 나는 샴푸를 거의 쓰지 않는다. **2** 우리는 몇 대의 자동차를 본다. **3** 그는 약간의 밀가루를 원한다. **4** 그녀는 채소를 거의 먹지 않는다. **5** Fred는 돈이 거의 없다. **6** Jenny는 몇 개의 모자를 산다. **7** 나는 약간의 숙제가 있다.

STEP 1

112쪽

1 little　2 a few
3 Little　4 a little
5 few　6 few
7 a little　8 few
9 A little　10 A few

STEP 2

113쪽

1 I need a little paper.
2 David remembers a few stories.
3 Kelly has few necklaces.
4 The house has few tables.
5 We have little time now.
6 Doha eats few cookies.
7 Paul has little money in the bank.
8 She buys a little cheese here.
9 A little air comes into the house.
10 I visit a few cities.

STEP 3

✎ 114쪽

1 Terry has few coats.
2 A little dust is in the room.
3 Sue wears few hats.
4 The chef has little meat.
5 Jack draws a few deer.
6 They need a little paper.
7 We have few coins.
8 He uses little salt.
9 Tom has a few brothers.
10 We have a little honey.

STEP 4

✎ 115쪽

1 A few boys play baseball.
2 A little snow is on the roof.
3 They have a few trucks.
4 Rick spends little money.
5 We have a little hope.
6 She sings a few songs.
7 Garcia grows few plants.
8 Alex drinks a little strawberry juice.
9 My sister has few hats.
10 I eat little rice in the morning.

실전 테스트

✎ 116~118쪽

1 ② 2 ④ 3 ③ 4 ⑤ 5 ③ 6 ④
7 ② 8 ④ 9 a lot of animals
10 much time 11 little rice
12 a few toys

1 books는 복수명사이므로 many와 함께 쓸 수 있다.
- 너는 책을 많이 읽니?

2 a little은 셀 수 없는 명사와 함께 쓰며 양이 약간 있음을 나타낸다.
- 나는 시간이 약간 있다.

3 people이 셀 수 있는 명사(person)의 복수형이므로 셀 수 없는 명사와 쓰는 a little은 알맞지 않다.
- Jenny는 여기 있는 사람들을 몇 명 안다 / 거의 모른다 / 많이 안다.

4 water는 셀 수 없는 명사이므로 a little이나 little과 함께 쓸 수 있고, books는 복수명사이므로 a few나 few와 함께 쓸 수 있다.
- 우리는 약간의 물이 필요하다.
- 나는 한 달에 몇 권의 책을 읽는다.

5 many는 복수명사와 함께 쓰이므로 셀 수 없는 명사인 paper는 알맞지 않다.
- 나는 많은 장난감 / 양말 / 상자 / 공책이 필요하지 않다.

6 homework는 셀 수 없는 명사이므로 (a) little, a lot of, lots of와 함께 쓸 수 있다.
① 나는 빵을 많이 먹는다.
② 나는 약간의 치즈가 필요하다.
③ Sam은 사촌이 거의 없다.
④ 우리는 숙제가 많다.
⑤ 몇 그루의 나무가 정원에 있다.

7 shoes는 복수명사이므로 many나 a lot of, lots of와 함께 쓸 수 있다.
① Lisa는 고기를 거의 먹지 않는다.
② 나는 신발이 많지 않다.
③ 너는 책을 많이 사니?
④ 나는 하루에 몇 개의 사과를 먹는다.
⑤ 너는 물을 많이 마시니?

8 movies는 복수명사이므로 셀 수 없는 명사와 쓰는 little, a little, much는 알맞지 않다. lots of는 복수명사와 함께 쓰므로 lots of movies가 되어야 한다.
- 나의 아빠는 영화를 많이 보시지 않는다.

9 animal은 셀 수 있는 명사이므로 수가 많음을 나타낼 때 many, a lot of, lots of와 함께 쓸 수 있다. 빈칸이 4개이고 명사는 복수형으로 써야하므로 a lot of animals로 쓴다.

10 time은 셀 수 없는 명사이므로 양이 많음을 나타내는 much와 함께 쓴다.

11 rice는 셀 수 없는 명사이므로 양이 거의 없음을 나타내는 little과 함께 쓴다.

12 toy는 셀 수 있는 명사이므로 '약간의, 몇몇의'라는 뜻을 나타낼 때 some 또는 a few를 쓸 수 있다. 빈칸이 3개이고 명사는 복수형으로 써야하므로 a few toys로 쓴다.

Unit 8 부사

Lesson 1 부사의 쓰임과 형태

개념 확인

121쪽

A

1 live	2 cold
3 walks	4 well
5 eat	6 sad
7 talk	

해석 1 그들은 행복하게 산다. 2 날씨가 매우 춥다. 3 도훈이는 조용히 걷는다. 4 Ethan은 춤을 정말 잘 춘다. 5 우리는 음식을 천천히 먹는다. 6 그 영화는 매우 슬프다. 7 나는 도서관에서 크게 말하지 않는다.

B

1 well	2 early
3 late	4 fast
5 busily	6 beautifully
7 hard	

해석 1 Angelina는 수영을 잘한다. 2 나는 저녁을 일찍 먹는다. 3 Lucas는 늦게 잔다. 4 그는 빠르게 운전하지 않는다. 5 나의 부모님은 바쁘게 일하신다. 6 Ana는 아름답게 미소짓는다. 7 우리는 영어를 열심히 공부한다.

STEP 1

122쪽

1 beautifully	2 easily
3 high	4 wisely
5 deeply	6 fast
7 early	8 really
9 quietly	10 late

STEP 2

123쪽

1 Lisa is really lazy.
2 The teacher speaks loudly.
3 I love you very much.
4 My friends walk slowly.
5 The baby is smiling happily.
6 Your uncle works hard.
7 Mike speaks French well.
8 The bookstore closes early.
9 I move the chair carefully.
10 My father comes home late.

해석 1 Lisa는 정말 게으르다. 2 그 선생님은 크게 말한다. 3 나는 너를 매우 많이 사랑한다. 4 내 친구들은 천천히 걷는다. 5 그 아기는 행복하게 웃고 있다. 6 너의 삼촌은 열심히 일하신다. 7 Mike는 프랑스어를 잘한다. 8 그 서점은 일찍 닫는다. 9 나는 그 의자를 조심스럽게 옮긴다. 10 나의 아버지는 집에 늦게 오신다.

STEP 3

124쪽

1 Blake smiles beautifully.
2 The singer sings loudly.
3 Kites fly high in the sky.
4 She drives safely.
5 The moon is shining brightly.
6 The puppy looks at me sadly.
7 My teacher answers kindly.
8 Tony fixes his computer easily.

STEP 4

125쪽

1 Snails move slowly.
2 I eat lunch quickly.
3 He solves the puzzle easily.
4 The bus arrives late.
5 Policemen work busily.

6 The train runs fast.
7 They speak Korean really well.
8 The children smile happily.
9 My parents go to bed early.
10 Alice closes the door quietly.

Lesson 2 빈도부사

개념 확인

127쪽

A

1 자주 2 때때로
3 보통 4 절대 ~않다
5 종종 6 가끔
7 항상

해석 1 나는 자주 내 방을 청소한다. 2 그들은 때때로 나와 함께 논다. 3 Larry는 보통 일찍 일어난다. 4 그녀는 절대 커피를 마시지 않는다. 5 준호는 종종 책을 읽는다. 6 Megan은 가끔 나에게 전화를 한다. 7 나는 항상 저녁에 운동을 한다.

B

1 ① 2 ①
3 ② 4 ②
5 ② 6 ①
7 ①

해석 1 나는 보통 버스를 타고 출근한다. 2 나의 어머니는 결코 화를 내지 않으신다. 3 그들은 항상 너를 그리워 할 것이다. 4 보미는 종종 학교에 늦는다. 5 우리는 절대 그 식당에 가지 않을 것이다. 6 Amy와 Sandy는 보통 함께 공부한다. 7 우리는 가끔 방과 후에 배드민턴을 친다.

STEP 1

128쪽

1 often 2 never
3 always 4 often
5 usually 6 sometimes
7 always 8 never
9 usually 10 sometimes

STEP 2

129쪽

1 I usually do homework after dinner.
2 The dog sometimes barks loudly.
3 Dina is never late for school.
4 I will always work hard.
5 She is usually in the library.
6 My brother often goes to the movies.
7 My father sometimes comes home late.
8 You will never find the sweater.
9 I can always take his pictures.
10 She often writes e-mails to her friends.

해석 1 나는 보통 저녁식사 후에 숙제를 한다. 2 그 개는 가끔 크게 짖는다. 3 Dina는 학교에 절대 늦지 않는다. 4 나는 항상 열심히 일할 것이다. 5 그녀는 보통 도서관에 있다. 6 나의 오빠는 자주 영화를 보러 간다. 7 나의 아버지는 때때로 집에 늦게 오신다. 8 너는 그 스웨터를 결코 찾지 못할 것이다. 9 나는 항상 그의 사진을 찍을 수 있다. 10 그녀는 종종 그녀의 친구들에게 이메일을 쓴다.

STEP 3

130쪽

1 Joan often gets up early.
2 I usually drink warm water.
3 My brother is always busy.
4 David never goes to the dentist.
5 Brian sometimes reads comic books.
6 We usually play basketball after school.
7 Grace often goes shopping with her dad.
8 She will never play the piano at night.
9 My sister always eats breakfast.
10 I sometimes read the newspaper in the morning.

해석 1 Joan은 종종 일찍 일어난다. 2 나는 보통 따뜻한 물을 마신다. 3 내 남동생은 항상 바쁘다. 4 David는 절대 치과에 가지 않는다. **5** Brian은 가끔 만화책을 읽는다. **6** 우리는 보통 방과 후에 농구를 한다. **7** Grace는 종종 아빠와 쇼핑하러 간다. **8** 그녀는 절대 밤에 피아노를 연주하지 않을 것이다. **9** 나의 언니는 항상 아침을 먹는다. **10** 나는 가끔 아침에 신문을 읽는다.

STEP 4

131쪽

1 He is usually very friendly.
2 I never go to bed late.
3 Your cookies are always delicious.
4 Paul often plays tennis.
5 I sometimes write a diary.
6 Ben always wears blue socks.
7 Kelly usually exercises in the morning.
8 He often meets his cousins.
9 I sometimes call my grandmother.
10 Olivia never drives at night.

실전 테스트

132~134쪽

1 ④ **2** ③ **3** ① **4** ④ **5** ② **6** ③
7 ④ **8** ② **9** often listen
10 never smiles **11** usually starts
12 always walk

1 fast(빠른, 빨리)는 형용사와 부사의 형태가 같다.

2 pretty는 '예쁜'이라는 뜻의 형용사로 쓰여서 앞의 명사(This dress)를 꾸며주고 있다.
① 나는 늦게 일어난다.
② 그는 노래를 잘한다.
③ 이 드레스는 예쁘다.
④ 그 간호사는 매우 친절하다.
⑤ 너는 정말 그녀를 좋아하니?

3 ①의 hard는 '딱딱한'이라는 뜻의 형용사로 쓰여서 앞의 명사(This chair)를 꾸며주고 있다.
① 이 의자는 딱딱하다.
② 나의 언니는 빨리 달린다.
③ 그녀는 집에 일찍 온다.
④ Mike와 Sam은 시끄럽게 말한다.
⑤ Ann은 피아노를 아름답게 연주한다.

4 빈칸에는 동사(talks)를 꾸며주는 말인 부사가 와야 하므로 형용사 good이 아닌 부사 well을 써야 한다.
• 그녀는 빠르게 / 큰 소리로 / 부드럽게 / 천천히 말한다.

5 usually(보통, 대개)는 빈도부사로 일반동사(play) 앞에 와야 한다.
• 내 친구들은 보통 방과 후에 축구를 한다.

6 high(높은, 높이)는 형용사와 부사의 형태가 같다. highly는 '크게, 대단히, 매우'라는 뜻이다.
① Paul은 수영을 잘한다.
② Ann은 일찍 일어난다.
③ 그 개구리는 높이 뛸 수 있다.
④ 나의 엄마는 아침을 절대 드시지 않는다.
⑤ 그는 보통 아침에 운동한다.

7 sometimes(가끔, 때때로)는 빈도부사이므로 be동사 뒤에 와야 한다.
① 나는 절대 게으르지 않다.
② 그들은 자주 공원에 간다.
③ 그녀는 그림을 매우 잘 그린다.
④ 그는 가끔 학교에 늦는다.
⑤ 내 여동생은 항상 채소를 먹는다.

8 첫 번째 빈칸에는 주어(The bus)를 설명해주는 형용사가 와야 하고, 두 번째 빈칸에는 동사(gets up)를 꾸며주는 부사가 와야 하므로, 형용사와 부사의 형태가 같은 late(늦은, 늦게)가 알맞다.
• 그 버스는 오늘 늦는다.
• 그는 항상 늦게 일어난다.

9 '자주, 종종'이라는 뜻의 빈도부사 often은 일반동사(listen) 앞에 쓴다.

10 '절대 ~하지 않는'이라는 뜻의 빈도부사 never는 일반동사(smiles) 앞에 쓴다.

11 '보통, 대개'라는 뜻의 빈도부사 usually는 일반동사(starts) 앞에 쓴다.

12 '항상'이라는 뜻의 빈도부사 always는 일반동사(walk) 앞에 쓴다.

WORKBOOK Unit 1 일반동사의 현재형

단어 TEST

워크북 138쪽

1 cry
2 ride
3 bank
4 pass
5 history
6 stay
7 bicycle
8 science
9 nickname
10 test

11 배우다
12 양초
13 딸
14 그리워하다
15 화장실
16 끝나다, 끝내다
17 고치다
18 잡다
19 밖에(서)
20 할아버지

해석 TEST

워크북 139쪽

1 나는 나의 엄마를 도와드린다.
2 그는 자전거를 탄다.
3 우리는 그의 이름을 안다.
4 그녀는 영어를 공부한다.
5 너는 양초를 하나 산다.
6 Tony는 은행에 간다.
7 Sam은 화장실을 청소한다.
8 그들은 매일 중국어를 배운다.
9 그는 모든 시험을 통과한다.
10 그것은 9시 정각에 끝난다.

영작 TEST ①

워크북 140쪽

1 You make cookies.
2 The kite flies high.
3 Sally washes her car.
4 He enjoys his life.
5 We wear pants.
6 They carry food.
7 I listen to music.
8 She needs an eraser.
9 They like bananas.
10 Jenny teaches science.

영작 TEST ②

워크북 141쪽

1 My cats like fish.
2 My daughter knows them.
3 Joe fixes his bicycle.
4 They learn history.
5 Jake cathes them.
6 Kevin has a nickname.
7 We need candles.
8 Her dog stays outside.
9 I miss my grandfather.
10 My son cries every day.

WORKBOOK Unit 2 일반동사 현재형의 부정문

단어 TEST

워크북 144쪽

1	bug	6	brother
2	math	7	snowman
3	move	8	cross
4	lizard	9	hate
5	chess	10	noodle
11	모자	16	길, 거리
12	손	17	수업
13	일기	18	하키
14	토끼	19	채소
15	짖다	20	이해하다

해석 TEST

워크북 145쪽

1 나는 체스를 두지 않는다.

2 Amy는 눈사람을 만들지 않는다.

3 그는 길을 건너지 않는다.

4 토끼들은 고기를 먹지 않는다.

5 그녀는 일기를 쓰지 않는다.

6 Liam은 국수를 먹지 않는다.

7 그들은 기타를 연주하지 않는다.

8 Sarah는 도마뱀을 좋아하지 않는다.

9 나의 여동생(언니/누나)은 커피를 마시지 않는다.

10 우리는 오늘 수학 수업이 없다.

영작 TEST ①

워크북 146쪽

1 We don't[do not] go camping.

2 Linda doesn't[does not] take pictures.

3 He doesn't[does not] have a brother.

4 I don't[do not] wear a cap.

5 It doesn't[does not] move fast.

6 You don't[do not] study science.

7 Paul doesn't[does not] live in Seoul.

8 She doesn't[does not] remember my name.

9 They don't[do not] know her phone number.

10 The bus doesn't[does not] stop here.

영작 TEST ②

워크북 147쪽

1 I don't[do not] have a pen.

2 Mike doesn't[does not] help her.

3 My dog doesn't[does not] bark.

4 We don't[do not] play hockey.

5 Lisa doesn't[does not] drink milk.

6 This lizard doesn't[does not] move.

7 My friends don't[do not] wash their hands.

8 He doesn't[does not] eat vegetables.

9 You don't[do not] hate bugs.

10 Kelly doesn't[does not] understand me.

WORKBOOK Unit 3 일반동사 현재형의 의문문

단어 TEST

워크북 150쪽

1 grow
2 address
3 sell
4 cousin
5 jog
6 scissors
7 snack
8 together
9 soccer
10 newspaper

11 프랑스어
12 영화
13 냄새가 나다
14 머리카락
15 보다, 시청하다
16 야구
17 여행하다
18 펭귄
19 해산물
20 아침 식사

해석 TEST

워크북 151쪽

1 너는 Tommy를 아니?
2 Eric은 짧은 머리를 가졌니?
3 그 소년들은 간식을 먹니?
4 그 꽃은 좋은 냄새가 나니?
5 그들은 축구를 하니?
6 그 가게는 장난감들을 파니?
7 너는 신문을 읽니?
8 그녀는 아침에 조깅을 하니?
9 너는 영화를 보니?
10 그 버스는 공항으로 가니?

영작 TEST ①

워크북 152쪽

1 Does it fly high?
2 Do you want new toys?
3 Does Tom use a computer?
4 Do they wear glasses?
5 Does John live in London?
6 Do you know her birthday?
7 Do we need sugar?
8 Does Emily play the violin?
9 Does she have big eyes?
10 Do Ron and Grace grow vegetables?

영작 TEST ②

워크북 153쪽

1 Does she learn French?
2 Do we need water?
3 Do you play baseball?
4 Does Cathy meet her cousin?
5 Do you know my address?
6 Does your sister need scissors?
7 Do they travel together?
8 Does Tom like penguins?
9 Do Kate and Eva eat breakfast?
10 Does he like seafood?

단어 TEST

워크북 156쪽

1	cut	6	carry
2	tie	7	plan
3	beach	8	stand
4	yell	9	laugh
5	friend	10	shoelace
11	눕다	16	요리하다
12	여행	17	기다리다
13	당근	18	전화기
14	장갑	19	똑바로
15	(벨이) 울리다	20	교실

해석 TEST

워크북 157쪽

1 그들은 지금 자고 있니?
2 너는 편지를 쓰고 있지 않다.
3 Tim은 소파 위에 누워 있다.
4 내가 똑바로 서 있니?
5 그녀는 버스를 기다리고 있다.
6 나는 지금 여행을 계획하고 있다.
7 그들은 샌드위치를 먹고 있지 않다.
8 Joan은 그녀의 부모님을 만나고 있니?
9 Paul은 해변에서 달리고 있지 않다.
10 그 말들은 당근을 먹고 있다.

영작 TEST ①

워크북 158쪽

1 She is fixing a car.
2 They are not having dinner.
3 Is Eddy brushing his teeth?
4 Laura is tying her shoelaces.
5 We are jumping on the bed.
6 Are you doing your homework?
7 I am not playing the guitar.
8 You are riding a bicycle.
9 Jenny is not washing her face.
10 Is Matt swimming in the lake?

영작 TEST ②

워크북 159쪽

1 I am drinking water.
2 Rachel is not yelling.
3 Is your brother cooking?
4 They are laughing now.
5 We are not wearing gloves.
6 He is cleaning his classroom.
7 Is Brian cutting cheese?
8 They are not carrying those boxes.
9 Are you helping your friend?
10 This phone is not ringing.

WORKBOOK Unit 5 형용사

단어 TEST

✎ 워크북 162쪽

1 hat
2 grade
3 neck
4 kind
5 brown
6 teach
7 doctor
8 old
9 popular
10 birthday

11 다리
12 (길이가) 긴
13 가수
14 흐린
15 수건
16 보라색의
17 (건물의) 층
18 어린
19 건강한
20 학생

해석 TEST

✎ 워크북 163쪽

1 나는 흐린 날을 싫어한다.
2 이것은 너의 새로운 가방이다.
3 오늘은 나의 열 번째 생일이다.
4 이 수건은 더럽다.
5 저 분홍색 리본은 내 것이다.
6 그들의 다리는 짧다.
7 Ted는 열한 살이다.
8 그 어린 학생들은 똑똑하다.
9 Debby는 2학년이다.
10 그녀의 아기는 건강하다.

영작 TEST ①

✎ 워크북 164쪽

1 He is[He's] the first player.
2 The firefighter is brave.
3 They live on the seventh floor.
4 I have five bags.
5 These blue socks are yours.
6 The question is difficult.
7 Those actors are handsome.
8 She likes sunny days.
9 We move his heavy table.
10 Linda drinks fresh apple juice.

영작 TEST ②

✎ 워크북 165쪽

1 Your hair is brown.
2 Susan is my old friend.
3 I have two sisters.
4 They are kind doctors.
5 That black cat is mine.
6 Their necks are long.
7 Jimmy is her fourth son.
8 I want these purple hats[caps].
9 Those singers are popular.
10 She teaches the third grade.

WORKBOOK Unit 6 수량 형용사 (1)

단어 TEST

워크북 168쪽

1 coin
2 shirt
3 napkin
4 answer
5 weekend
6 jeans
7 sharp
8 laundry
9 magazine
10 remember

11 빵
12 장난감
13 칼
14 도움
15 겨울
16 곤충
17 운동, 경기
18 청소하다
19 질문
20 화장실

해석 TEST

워크북 169쪽

1 모든 아기들은 귀엽다.
2 그녀는 소금이 좀 필요하다.
3 모든 소년은 청바지를 입는다.
4 피자 좀 드실래요?
5 모든 창문들은 작다.
6 Mason은 장난감을 좀 원한다.
7 그는 매일 밤 빨래를 한다.
8 Kate는 셔츠를 전혀 사지 않는다.
9 너는 질문이 좀 있니?
10 나는 나의 학교의 모든 선생님을 안다.

영작 TEST ①

워크북 170쪽

1 Can I drink some water?
2 They buy some paper.
3 William likes all sports.
4 We take some pictures.
5 All (the) students have bags.
6 Do you want some doughnuts?
7 She knows some players.
8 He remembers all (the) answers.
9 Bears sleep all winter.
10 All spiders have eight legs.

영작 TEST ②

워크북 171쪽

1 Do you need any help?
2 Every insect has six legs.
3 She doesn't have any napkins.
4 Every knife is sharp.
5 Does he have any coins?
6 Sara remembers every student.
7 James doesn't buy any bread.
8 We clean every window.
9 They don't read any magazines.
10 I meet my friends every weekend.

WORKBOOK Unit 7 수량 형용사 (2)

단어 TEST

워크북 174쪽

1 save
2 use
3 salt
4 flour
5 borrow
6 clothes
7 novel
8 picture
9 country
10 notebook

11 복숭아
12 병
13 가게, 상점
14 초대하다
15 돈을 쓰다
16 읽다
17 방문하다
18 공장
19 샴푸
20 숙제

해석 TEST

워크북 175쪽

1 병에 약간의 우유가 있다.
2 그 집은 창문이 거의 없다.
3 너는 많은 책을 읽니?
4 그는 많은 사진을 찍니?
5 그들은 많은 돈을 쓰지 않는다.
6 그녀는 몇 개의 펜을 빌린다.
7 나는 숙제가 거의 없다.
8 Suji는 많은 공책이 필요하지 않다.
9 그 가게는 많은 꿀을 팔지 않는다.
10 그 공장은 많은 옷을 만든다.

영작 TEST ①

워크북 176쪽

1 Alex doesn't write many letters.
2 You don't eat much chicken.
3 They don't have much time.
4 We see many animals.
5 He doesn't use much shampoo.
6 I have many necklaces.
7 Does he ask many questions?
8 We don't need much sugar.
9 Chris doesn't use much paper.
10 I know many interesting stories.

영작 TEST ②

워크북 177쪽

1 We buy a few peaches.
2 Jenny drinks little coffee.
3 I read few novels.
4 She needs a little flour.
5 He invites a few friends.
6 They save little money.
7 He visits a few countries.
8 Harry uses little salt.
9 I borrow few comic books.
10 Peter has a little homework.

WORKBOOK Unit 8 부사

단어 TEST
✎ 워크북 180쪽

1 well
2 smile
3 early
4 work
5 always
6 often
7 quietly
8 happily
9 pretty
10 bookstore

11 닫다
12 절대 ~ 않는
13 도착하다
14 정말
15 바쁘게
16 걷다
17 잊다
18 느리게, 천천히
19 보통, 대개
20 가끔, 때때로

해석 TEST
✎ 워크북 181쪽

1 새들은 높이 난다.
2 나는 종종 내 방을 청소한다.
3 Mike는 매우 빨리 달린다.
4 나의 선생님은 항상 바쁘시다.
5 그녀는 집에 늦게 도착한다.
6 그는 보통 7시 30분에 저녁을 먹는다.
7 나는 조용히 그 문을 닫는다.
8 Brian은 절대 학교에 늦지 않는다.
9 그 아이스크림은 정말 달다.
10 나는 가끔 그 서점에 간다.

영작 TEST ①
✎ 워크북 182쪽

1 They live happily.
2 The dog never barks.
3 Peter drives safely.
4 I always eat breakfast.
5 Tony dances beautifully.
6 We often play baseball.
7 My brother speaks loudly.
8 I usually wake up early.
9 Pam sometimes goes to the store.
10 She fixes the computer easily.

영작 TEST ②
✎ 워크북 183쪽

1 John walks slowly.
2 I always wear glasses.
3 She dances really well.
4 Larry usually arrives early.
5 Andy smiles happily.
6 His cat never eats cheese.
7 Sara and Kate study quietly.
8 He sometimes watches TV.
9 My mother works busily.
10 You often forget my name.

쓰면서 강해지는

초등 영문법

2